Johannes Schumann

Mittelstufe Deutsch

Verlag für Deutsch

Materialübersicht

Textbuch „Mittelstufe Deutsch" – Best.-Nr. 270

Arbeitsbuch – Best.-Nr. 275

2 Cassetten mit Texten und Übungen – Best.-Nr. 273

Lehrerpaket (Lehrerhandbuch, 2 Cassetten mit Texten und Übungen, Dia-Reihe) – Best.-Nr. 271

Lehrerhandbuch – Best.-Nr. 272

Dia-Reihe – Best.-Nr. 274

ISBN 3–88532–270–6

© 1985 Verlag für Deutsch
Max-Hueber-Str. 8, D-8045 Ismaning/München

| 6. | 5. | 4. | 3. Druck | Letzte Zahlen |
| 1992 | 91 | 90 | 89 88 | gelten |

Zeichnungen: Erhard Dietl, Ottobrunn
Layout: Walter Lachenmann, Gauting-Buchendorf
Satz: Typo-Service Urban GmbH, München
Druck: Druckerei Appl, Wemding
Bindung: Ludwig Auer, Donauwörth
Printed in the Federal Republic of Germany

Übersicht

Kleiner grammatischer Einstufungstest

Quer durch den Garten

Wenn Sie dieses Buch benutzen wollen, sollten Sie bei dem folgenden grammatischen Test mehr als die Hälfte der Aufgaben richtig lösen können.

1. Das Bild hängt _____ _____ Wand.

2. Sie wohnt _____ ihrer Tante.

3. Herr Schneider? Der ist noch nicht _____ Hause. Er kommt erst nach der Arbeit _____ Haus.

4. Du hast ja ein Loch in der Tasche! _____ hast du das Geld verloren.

5. Ich habe zwei Freunde: Der _____ ist Deutscher, der _____ Amerikaner.

6. Wo ist mein Schlüssel? – Den habe ich dort drüben auf den Tisch _____ .

7. Meine Tochter war _____ krank, daß sie ins Krankenhaus mußte.

8. _____ wir Hochzeit feierten, kamen alle unsere Freunde.

9. Jedesmal, _____ sie zu Besuch kam, brachte sie den Kindern Schokolade mit.

10. Ich fahre gern an die See, aber noch _____ ins Gebirge.

11. So eine schwere Tasche! Kannst du mir vielleicht tragen _____ ?

12. Ich _____ gern kommen, wenn ich _____ . Aber ich hab' nun mal keine Zeit.

13. Wäre es möglich, heute früher nach Haus _____ gehen?

14. Denkt er noch oft an den Unfall? – Ja, er muß immer _____ denken.

15. _____ reicher man ist, _____ mehr Freunde hat man.

16. Ich komme nach Deutschland, _____ die Sprache _____ lernen.

17. Wasch dir bitte die Hände, _____ du zum Essen kommst!

18. Der Dieb _____ gestern von der Polizei gefaßt.

19. Wenn ich mehr Geld _____ , _____ ich eine Weltreise machen.

20. Bonn ist nicht _____ groß _____ Berlin.

21. Bitte die Türen _____ der Fahrt geschlossen lassen!

22. Er fährt ein teures Auto, _____ er kein Geld hat.

23. Die Schüler warten schon lange _____ den Anfang der Ferien.

24. Es ist ganz plötzlich kalt _____, und es hat geschneit.

25. Die Alpen sind das _____ (hoch) Gebirge Europas.

26. Können Sie mir sagen, _____ dies der richtige Weg zum Bahnhof ist?

27. Ach, Sie kommen aus Japan. Und _____- _____ kommen Sie? – Ich komme _____ _____ Schweiz.

28. Hier auf dem Foto: Das sind unsere Bekannten, _____ _____ wir zusammen Urlaub gemacht haben.

29. Wir gehen heute schon bald ins Bett, _____ morgen müssen wir früher aufstehen.

30. _____ Sonntag kann ich meistens länger schlafen.

31. _____ Sommer essen wir auf der Veranda.

32. Wir würden _____ freuen, euch bald wiederzusehen.

33. Das Frühstück ist mir ans Bett gebracht _____.

34. _____ sechs Jahren habe ich meine Frau kennengelernt.

35. _____ Hose ziehst du heute an, die blaue oder die schwarze?

36. Zum Geburtstag wünschen wir Dir _____ Gute!

37. Ich lese während der Reise, _____ es mir nicht langweilig wird.

38. Wir warten seit einer halben Stunde, aber er kommt nicht. Wenn er doch bloß _____ !

39. Haben Sie vielleicht ein Wörterbuch dabei? – Nein, ich habe auch _____ mitgebracht.

40. Wo wohnt er denn? – Ich _____ auch nicht, _____ er wohnt.

41. Hier im Kino _____ nicht geraucht werden.

42. Wissen Sie, _____ er Geburtstag hat?

43. Wenn er weiter so stark raucht, _____ er nicht alt.

44. Gefällt dir etwa mein Kleid nicht? – _____, ich finde es sogar sehr hübsch.

45. Was _____ einen Hund haben Sie? – Einen Schäferhund.

46. Freust du dich schon _____ das nächste Wochenende?

47. Sie mag kein Bier. _____ Bier habe ich für sie Cola bestellt.

48. Mach bitte das Fenster zu! – Aber das hab' ich doch schon _____ !

49. Er steht drinnen am Fenster und schaut _____ .

50. Du, die Kinder schlafen! _____ also bitte leise!

51. Köln liegt _____ Rhein.

52. Er hat mich um eine Zigarette _____ .

53. Im Herbst fliegen viele Vögel _____ Süden.

54. Ich bin 14, und mein Bruder ist 20 Jahre alt. Er ist also sechs Jahre _____ _____ ich.

55. Der Januar ist der erste und der März der _____ Monat des Jahres.

56. Das ist gefährlich! _____ Sie bitte vorsichtig!

57. Was? Das wußtest du nicht? Das hätte ich aber _____ .

58. Die deutsche Grammatik ist schwerer, _____ ich dachte.

59. Diese Übung ist nun _____ Ende.

60. Hören Sie bitte _____ der Arbeit auf.

Lösungen

1. an der   2. bei   3. zu; nach   4. Deshalb (Darum, Deswegen, Daher, Also)   5. eine; andere (erste; zweite)   6. gelegt   7. so   8. Als   9. wenn   10. lieber   11. helfen   12. würde; könnte   13. zu   14. daran   15. Je; desto (umso, je)   16. um; zu   17. bevor (ehe)   18. wurde   19. hätte (besäße); würde   20. so; wie   21. während (bei)   22. obwohl (obgleich, obschon)   23. auf   24. geworden   25. höchste   26. ob   27. woher; aus der   28. mit denen   29. denn   30. Am   31. Im   32. uns   33. worden   34. Vor   35. Welche   36. alles   37. damit (so daß)   38. käme (kommen würde)   39. keins   40. weiß; wo   41. darf   42. wann   43. wird   44. Doch (Natürlich)   45. für   46. auf   47. (An)statt   48. zugemacht   49. hinaus, (he)raus, nach draußen   50. Sei   51. am   52. gebeten (angebettelt)   53. nach   54. älter als   55. dritte   56. Seien   57. gewußt   58. als   59. zu   60. mit

Die Liebe und die liebe Familie
Grammatik: *Wortbildung, Präteritum*

**Weniger Kinder –
mehr Alte –
mehr Ausländer**

Nach Berechnungen des
Deutschen Instituts für Wirt-
schaftsforschung (DIW) wird
die Zahl der deutschen
Einwohner in den nächsten
40 Jahren immer schneller
abnehmen.

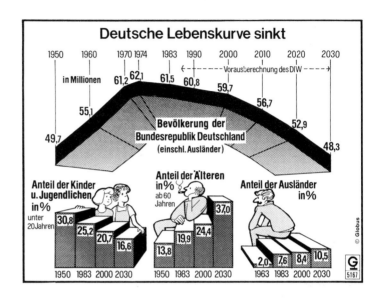

Hilfen zum nachfolgenden Text

Erklären Sie die Nomen. Setzen Sie ein:

> bezogen auf – für – für – gegenüber – im
> – in – innerhalb – mit – nach – um – um –
> zum – zur

die Bevölkerungspolitik
die Politik _____ die Einwoh-
nerzahl eines Landes

die Wohlstandsländer
die Länder _____ hohem Lebensstandard

die Geburtenrate
die Anzahl der Geburten in der Bevölkerung _____ eines Jahres

die Bestandserhaltungsquote
die Zahl der Geburten, die _____ den Fort-
bestand der Bevölkerungszahl notwendig
ist

die Altersrente
die Geldzahlungen, die man _____ Alter
erhält

der Sozialstaat
ein Staat, der sich _____ die sozialen Probleme seiner Bürger kümmert

die Kinderfeindlichkeit
das negative Verhalten _____
Kindern

1

die *Meinungsumfrage*

die Fragen _____ den Meinungen der Bürger

der *Weltenbummler*

jemand, der _____ die ganze Welt reist

der *„Häuslebauer"*

jemand, der _____ sich und seine Familie ein Häuschen baut

die *Geldgesellschaft*

eine Gesellschaft, _____ welcher das Geld die größte Rolle spielt

das *Realeinkommen*

die Einkünfte, die man wirklich _____ Verfügung hat und die man nach ihrer Kaufkraft beurteilt

der *Wohnraum*

die Fläche, die man _____ Wohnen braucht

Kinderwünsche

Geben Sie zwei mögliche Bedeutungen an:

1. _____

2. _____

Sterben die Deutschen aus?

Bevölkerungspolitik ist eine schwierige Sache. Wirtschaftliche Gründe spielen gewiß eine große Rolle bei der Verwirklichung von *Kinderwünschen*, aber daß gerade in den *Wohlstandsländern* die *Geburtenrate* unter die *Bestandserhaltungsquote* einer Bevölkerung sinkt, beweist die übermächtige Wirkung anderer Faktoren, die den „Willen zum Kind" dämpfen: Freizeitgenuß, Berufstätigkeit der Frauen, ein allgemeines Gefühl von Lebensunsicherheit, die *Altersrente* durch den *Sozialstaat*, die rapide Verwandlung der Welt nach den Wünschen der Erwachsenen zuungunsten von Kindern, Erfahrungen von *Kinderfeindlichkeit*, das Gefühl, daß es schon genug Menschen auf der Welt und besonders in unserem Land gibt. Es muß nicht immer Egoismus sein, was Menschen auf Kinder verzichten läßt.

Selbstverständlich fanden *Meinungsumfragen* statt. Vom Psychologischen Institut der Universität München wurden 700 Paare befragt. Das Ergebnis ist nicht überraschend.

– 30 Prozent der Paare sehen Wohlstand und Kinder als gleichrangige Werte an und wollen ein oder zwei Kinder haben.

– Die Gruppe der „dynamischen *Weltenbummler*" will mehr Freiheit als Wohlstand, kann deshalb aber auch nur ein Kind brauchen.

– Die „prestigebewußten Konsumierer" wollen im Durchschnitt 1,4 Kinder, aber auch nicht sofort. Sie legen mehr Wert auf Reisen und haben überdurchschnittlich große Autos.

– Und dann gibt es nach dieser Untersuchung noch die „*Häuslebauer*", die ein erstes Kind zwar eher als die anderen möchten, dann aber erst das Haus, und ob es später noch zu weiteren Kindern reicht, muß sich zeigen.

– Nur 10 Prozent der Befragten waren „familienorientiert" und halten Kinder für wichtiger als Konsum oder Karriere.

Wird gefragt, warum jemand keine Kinder oder keine weiteren will, so lautet die Antwort bei 53 Prozent: Können wir uns finanziell nicht leisten. Bei 35 Prozent: Die Wohnung ist zu klein. Bei den übrigen: Angst vor Schulschwierigkeiten, gesundheitlicher Belastung der Frau und anderes. In der *Geldgesellschaft* ist das finanzielle Argument immer plausibel. Dennoch ist es verblüffend, daß seit Mitte der sechziger Jahre die *Realeinkommen* sich verdoppelt und der *Wohnraum* sich ebenfalls vergrößert hat, für Kinder aber immer weniger Geld und Platz da ist.
(Aus: *Süddeutsche Zeitung* vom 4.2.1984)

Fragen zum Text

1. Welches Bild wird von den Deutschen gezeichnet? Trifft es auch für andere Länder zu?
2. Welche Argumente gegen Kinderreichtum werden im Text genannt?
3. Wie viele Kinder möchten Sie selbst gern haben? Warum?
4. In der Volksrepublik China wird die Ein-Kind-Familie propagiert. In Zukunft wird es also dort kaum mehr Brüder oder Schwestern, Onkel oder Tanten, Neffen oder Nichten geben. Was halten Sie angesichts der weltweiten Bevölkerungsexplosion von einer solchen Politik?
5. Man schätzt, daß in der Bundesrepublik jährlich etwa 150 000 Frauen eine Schwangerschaft abbrechen. Wie steht man zum Problem der Abtreibung in Ihrem Land?

1

Ist man mit Kindern „arm dran"?
Was meinen Sie?

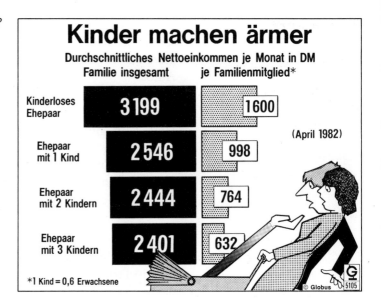

Kinder machen ärmer
Durchschnittliches Nettoeinkommen je Monat in DM

	Familie insgesamt	je Familienmitglied*
Kinderloses Ehepaar	3 199	1600
Ehepaar mit 1 Kind	2 546	998
Ehepaar mit 2 Kindern	2 444	764
Ehepaar mit 3 Kindern	2 401	632

(April 1982)

*1 Kind = 0,6 Erwachsene

© Globus 5105

Lückendiktat

Seit _1871_ hat sich die Bevölkerung auf dem heutigen Gebiet der Bundesrepublik _ver-_
dreifacht, von _20,4_ Millionen auf 62 _Millionen_ (1974).

Bis _1972_ übertraf die Zahl der Lebendgeborenen die der Todesfälle zu allen Zeiten mit
Ausnahme der Jahre _1917/8_ und 1944/45. Seit _1900_ sank die Säuglingssterblichkeit
dramatisch von _25 Prozent_ (1900) auf 10 Prozent (_1929_) und 5 Prozent (_1939_). Heute
liegt sie bei _1,09 Prozent_. In derselben Zeit verlängerte sich die durchschnittliche
Lebenserwartung eines Neugeborenen von _35_ Jahren (1900) auf 50 Jahre (_1914_) und
_60_ Jahre (1939). Jetzt beträgt sie für Frauen _76_, für Männer _67_ Jahre. Beide Tendenzen haben dazu beigetragen, daß heute auf einem _Quadratkilometer_ der Bundesrepublik _247_ Menschen leben, um _1871_ waren es _82_ .

(Aus: *Süddeutsche Zeitung* vom 4. 2. 84)

Richtig oder falsch?

Wurde das im Diktattext gesagt?

	Richtig	Falsch
1. Die Bevölkerung auf dem Gebiet der Bundesrepublik ist heute doppelt so groß wie vor 100 Jahren.	○	○
2. Am Ende des Ersten und Zweiten Weltkrieges war die Zahl der Geburten niedriger als die Zahl der Todesfälle.	○	○
3. Um die Jahrhundertwende überlebten nur drei von vier Säuglingen.	○	○
4. Frauen werden in der Bundesrepublik wegen der Doppelbelastung in Familie und Beruf statistisch gesehen nicht so alt wie die Männer.	○	○

Wortbildung

I. Bilden Sie ein zusammengesetztes Nomen:

1. die Tüte aus Plastik   2. die Decke des Zimmers   3. das Regal für die Bücher   4. die Maschine zum Bügeln   5. die Warnung vor dem Sturm   6. die Pfanne zum Braten   7. die Handschuhe aus Leder   8. das Fleisch vom Kalb   9. das Zentrum der Stadt   10. die Luft an der See

---

Merken Sie sich: Nach *-heit, -ing, -ion, -keit, -ling, -schaft, -tät* und *-ung* wird ein *s* eingefügt (Fugen-*s*):
die Dichte der Bevölkerung – die Bevölkerungsdichte

II. Finden Sie ein passendes Grundwort zum Bestimmungswort:

Beispiel: Häftling + Kleidung → die Häftlingskleidung

Bestimmungswort	– Grundwort	Bestimmungswort	– Grundwort
1. Kindheit	– Lichter	8. Flüchtling	– Erzeugnis
2. Anwesenheit	– Anzug	9. Wirtschaft	– Wasser
3. Training	– Pflege	10. Verwandtschaft	– Lager
4. Säugling	– Zug	11. Qualität	– Lektüre
5. Demonstration	– Pflicht	12. Elektrizität	– Krise
6. Position	– Speise	13. Leitung	– Grad
7. Liebling	– Erinnerung	14. Zeitung	– Werk

Merken Sie sich: Feminine Bestimmungswörter können ein *e* am Wortende verlieren:
die Anziehung der *Erde* – die *Erd*anziehung

III. Finden Sie (evtl. mit dem Wörterbuch) mindestens ein Grundwort zu nachfolgenden Bestimmungswörtern:

Beispiel: Farbe → der Farbton

1. Miete   2. Schule   3. Sprache   4. Kirsche   5. Ecke   6. Kontrolle   7. Bremse   8. Grenze
9. Strafe   10. Lehre   11. Stimme

IV. Hören Sie die Cassette, und bilden Sie zusammengesetzte Nomen.

1

Wie sagen Sie kürzer?

Beispiel: eine besondere Behandlung – eine Sonderbehandlung

1. das einzelne Kind 2. das vordere Teil 3. die höchste Geschwindigkeit 4. das mindeste Alter 5. der hintere Ausgang 6. der innere Hof 7. die äußere Welt 8. die gesamte Zahl 9. das halbe Jahr 10. die kleine Stadt 11. die private Adresse 12. roter Wein 13. der runde Bogen 14. das hohe Haus 15. ein doppeltes Fenster 16. eine besondere Prämie 17. das hintere Rad

Wie heißt das Gegenteil?

Beispiel: Ist das nicht eine Nebensache? – Nein, das ist die Hauptsache.

1. Ist das der Haupteingang? 2. Wollen Sie ein Doppelzimmer? 3. Bedeutet das blaue Schild eine Höchstgeschwindigkeit von 50 km/h? 4. Haben wir heute Halbmond? 5. Gehen wir durch die Vordertür? 6. Befinden Sie sich auf dem Hinflug? 7. Kommt jetzt eine Rechtskurve? 8. Lieben Sie Norddeutschland? 9. Ist der Hinterreifen platt? 10. Ist die Außentemperatur höher? 11. Studieren Sie Deutsch als Hauptfach? 12. Ist er Rechtsextremist? 13. Schlafen Sie lieber im Einzelbett? 14. Ist das der Innenminister?

Bilden Sie das Präteritum

Wer war Kästner?

Erich Kästner _wurde_ in Dresden geboren. Er _____ lange Zeit in Berlin und _____ viele Kinderbücher, wie z. B. „Emil und die Detektive" und „Das doppelte Lottchen". Die Nazis _____ seine Bücher bei den propagandistischen Bücherverbrennungen. Während des Krieges _____ Kästner nicht ins Ausland, sondern er _____ in Berlin. Nach dem Krieg _____ er den Büchner-Preis; das ist der angesehenste deutsche Literaturpreis.

**Hören
und verstehen**

I. Hören Sie sich das folgende Gedicht von Erich Kästner zweimal an. Notieren Sie anschließend, wovon das Gedicht handelt.

II. Setzen Sie das Präteritum folgender Verben an den passenden Stellen ein:

> (sich) ansehen – gehen – kennen – kommen – können –
> rühren – sagen – sein – sitzen – sprechen – stehen –
> üben – versuchen – weinen – wissen

Erich Kästner

Sachliche Romanze

Als sie einander acht Jahre _____
(und man darf sagen: sie kannten sich gut),
_____ ihre Liebe plötzlich abhanden.
Wie andern Leuten ein Stock oder Hut.

Sie _____ traurig, betrugen sich heiter,
_____ Küsse, als ob nichts sei,
und _____ sich an und _____ nicht weiter.
Da _____ sie schließlich. Und er _____ dabei.

Vom Fenster aus konnte man Schiffen winken.
Er _____, es wäre schon Viertel nach Vier
und Zeit, irgendwo Kaffee zu trinken.
Nebenan _____ ein Mensch Klavier.

Sie _____ ins kleinste Café am Ort
und _____ in ihren Tassen.
Am Abend _____ sie immer noch dort.
Sie saßen allein, und sie _____ kein Wort
und _____ es einfach nicht fassen.

Für Poeten   *Sie waren doch auch schon mal so richtig verliebt und sind es hoffentlich noch oder wieder! Versuchen Sie einmal, selbst ein kleines Liebesgedicht zu schreiben. Benutzen Sie dabei das Präteritum!*

1

Elemente

Bilden Sie das Präteritum der trennbaren Verben.

1. Unsere Liebe / anfangen / 8 Jahre.
2. Erich / sehr gut / aussehen / und / er / mir / nachlaufen.
3. Anfangs / wir / häufig / ausgehen.
4. Ich / sich anziehen / chic / und / er / abholen / mich.
5. Er / gewöhnlich / mir / mitbringen / Blumen.
6. Es / oft / vorkommen / daß / wir / erst spät / nach Hause / zurückkehren.
7. Manchmal / ich / aufwachen / nachts / und / lange / unsere Beziehung / nachdenken.
8. Aber / Diskussionen / er / mir / nicht mehr / zuhören / und / immer / sofort / einschlafen.
9. Eines Tages / ich / zurückbringen / ihm / alle Geschenke.
10. Ich / nicht mehr / ihm / aufmachen / die Tür.
11. In dieser Zeit / ich / abnehmen / 6 Kilo.
12. Ich / sich vornehmen / nie mehr / sich verlieben.
13. Schließlich / er / allein / für einige Wochen / wegfahren.

Erzählen Sie die Geschichte schriftlich weiter. Können Sie sie vielleicht doch noch zu einem glücklichen Ende bringen?

Sortieren Sie die Verben

In welche Spalte gehört das Präteritum?

beweisen, blasen, braten, fallen, gehen, gleichen, greifen, halten, hängen, heißen, lassen, laufen, leiden, leihen, meiden, raten, reiben, reißen, reiten, rufen, scheinen, schlafen, schneiden, schreiben, schreien, schweigen, steigen, stoßen, streichen, streiten, unterscheiden, vergleichen, verzeihen

Lang (*ie*)   oder kurz (*i*)?
z. B. bl*ie*b   z. B. f*i*ng

Joachim Ringelnatz

Ich habe dich so lieb

Ich habe dich so lieb!
Ich würde dir ohne Bedenken
Eine Kachel aus meinem Ofen
Schenken.

Ich habe dir nichts getan.
Nun ist mir traurig zu Mut.
An den Hängen der Eisenbahn
Leuchtet der Ginster so gut.

Vorbei – verjährt –
Doch nimmer vergessen.
Ich reise.
Alles, was lange währt,
Ist leise.

Die Zeit entstellt
Alle Lebewesen.
Ein Hund bellt.
Er kann nicht lesen.
Er kann nicht schreiben.
Wir können nicht bleiben.

Ich lache.
Die Löcher sind die Hauptsache
An einem Sieb.

Ich habe dich so lieb.

ohne Bedenken: ohne Zögern
die Kacheln: Platten auf der Oberfläche
des Ofens
die Hänge der Eisenbahn: die abfallen-
den Flächen neben den Schienen
leuchten: strahlen
der Ginster: Busch mit gelben Blüten
verjährt: ungültig, weil etwas schon zu
lange zurückliegt
nimmer: nie
währen: dauern
entstellen: fremd machen;
zum Schlechten verändern
das Sieb: z. B. Teesieb

Eugen Roth

Optische Täuschung

Ein Mensch sitzt stumm und liebeskrank
Mit einem Weib auf einer Bank;
Er nimmt die bittere Wahrheit hin,
Daß sie zwar liebe, doch nicht ihn.

Ein andrer Mensch geht still vorbei
Und denkt, wie glücklich sind die zwei,
Die – in der Dämmerung kann das täuschen –
Hier schwelgen süß in Liebesräuschen.

Der Mensch in seiner Not und Schmach
Schaut trüb dem andern Menschen nach
Und denkt, wie glücklich könnt ich sein,
Wär ich so unbeweibt allein.

Darin besteht ein Teil der Welt,
Daß andre man für glücklich hält.

Gezielte Werbung

1

Wilhelm Busch

Die Tante winkt…

Die Tante winkt, die Tante lacht:
He, Fritz, komm mal herein!
Sieh, welch hübsches Brüderlein
der gute Storch in letzter Nacht
Ganz heimlich der Mama gebracht.
Ei ja, das wird dich freun!
Der Fritz, der sagte kurz und grob:
Ich hol 'n dicken Stein
und schmeiß ihn an den Kopp!

Hören und verstehen

*Hören Sie einen Bericht von der Cassette,
und erzählen Sie, was passiert ist.*

Freie Sprechübung

*Vervollständigen Sie die Sätze und benutzen
Sie das passende Tempus. Achten Sie auf die
Position des Verbs im Satz!*

> Beispiel:
> In einer Woche … (Ferien)
> In einer Woche *haben* wir endlich Ferien.

1. Letztes Jahr … (Schnee)
2. Hier auf dem Tisch … (Schlüssel)
3. Bei meiner Tante … (Schwarzwälder Kirschtorte)
4. Ohne grammatische Kenntnisse … (Deutsch)
5. Vor ein paar Tagen … (Bekannter)
6. In der nächsten Woche … (Wetter)
7. Dort drüben … (Schloß Herrenchiemsee)
8. Im Vietnam-Krieg … (Amerikaner)
9. Durch den Sturm … (Bäume)
10. Von meiner Reise … (Andenken)
11. Innerhalb kurzer Zeit … (Karriere)
12. Nach seinem Besuch … (Kühlschrank)
13. Schon nach ein paar Minuten … (Feuer)
14. In die Bundesrepublik … (Gastarbeiter)

Finden Sie ein Nomen mit „i"

bitten	*die Bitte*	reiten	
beginnen		schneiden	
gewinnen		schreiten	
greifen		sitzen	
helfen		stechen	
reißen		streichen	
beißen		treten	

Setzen Sie das Präteritum ein

Einladungen

nach Heinz Erhardt

In Deutschland wird die Moral immer großgeschrieben – auch aus sittlichen Gründen. Hauptsächlich aber wegen der Rechtschreibung, die dir befiehlt, Hauptworte, auch wenn sie dir unwichtig erscheinen, stets groß zu schreiben. In meiner Heimat jedoch war es mit der Moral ganz schlimm. Nie wäre es dir möglich gewesen, allein mit einem Mädchen ins Café, Kino oder zum Tanzen zu gehen, ohne daß ihr tags darauf als verlobt *galtet* (gelten). Und das war gefährlich.

an den Mann bringen – to. make a match, to bring X where it belongs

Um nun heiratsfähige Töchter trotzdem an den vorsichtigen Mann zu bringen, _____ (werden) du als Junggeselle oft und gern von töchterhabenden Familien nach Hause eingeladen. Da es eine Menge derartiger Familien _____ (geben), _____(müssen) du fast täglich woandershin.

Trink, Schnaps   *– r Kumpel – (munch) buddy*

Manchmal _____ (sein) es ganz gemütlich, besonders dann, wenn der „Schwiegerpapa" gern einen _____ (trinken) und froh war, in dir einen Kumpel gefunden zu haben. Nach dem Abendessen _____ (gehen) du mit dem Hausherrn in sein Allerheiligstes und dort _____ (kippen) ihr einen köstlichen Wodka nach dem andern herunter. Nach dem zehnten Schnaps _____ (auf/tauen) selbst der eiskälteste Vater _____ und _____ (meinen) etwas lallend, seine Tochter sei gar nicht so besonders – sondern ganz im Gegenteil! Und seine Frau erst – o je!

1

Nun, es _____ (geben) auch Familien mit zahlreichen Töchtern, die gegen Alkohol waren. Da du aber rechtzeitig von deinen Freunden, die da schon mal zu Gast sein _____ (müssen), gewarnt _____ (werden), _____ (mit/nehmen) du deine Flasche _____, indem du sie wohlverwahrt in deine Manteltasche _____ (stecken).

no one should accompany

Während des Abendbrotes _____ (vor/täuschen) du leichtes Unwohlsein _____ und _____ (gehen) – jegliche Begleitung strikt ablehnend – dorthin, wo dein Mantel _____ (hängen). Dort _____ (heraus/ziehen) du die Flasche _____ und dich dann zurück. Schon nach ein paar Minuten _____ (wieder/kommen) du in weit besserer Stimmung _____.

Und beim Abschiednehmen _____ (passieren) es dann, daß deine „Schwiegermutter" allen Ernstes zu dir _____ (sagen): „Sehen Sie, mein Lieber, es _____ (gehen) auch ohne Alkohol!"

Worauf auch du _____ (gehen) und nie wieder eingeladen _____ (werden), weil man in irgendeiner Ecke deine leere Flasche gefunden hatte.

Bei dieser Gelegenheit möchte ich betonen, daß ich die Frau, mit der ich _____ wirklich _____ (sich verloben) – die ich dann sogar auch noch _____ (heiraten), daß ich also diese Frau nicht im Suff, sondern im Fahrstuhl _____ (kennen/lernen). Wir _____ (ein/steigen) gleichzeitig im Parterre _____ und _____ (drücken) – welch Zufall! – beide auf dasselbe Knöpfchen. Und unsere gemeinsame Fahrt nach oben ist, so hoffen wir, noch nicht beendet.

O wär ich
der Kästner Erich!
Auch wär ich gern
Christian Morgenstern!
Und hätte ich nur einen Satz
vom Ringelnatz!
Doch nichts davon! – Zu aller Not
hab ich auch nichts von Busch und Roth!
Drum bleib ich, wenn es mir auch schwer ward,
nur der Heinz Erhardt …

Sprüche

1. Wenn es ganz leise an die Tür klopft, dann mußt du aufmachen. Es kann das Glück sein. Wenn's laut klopft, dann sei sicher: das sind Verwandte.

2. Es ist schon schlimm, wenn man alt wird. Es ist aber schlimmer, wenn man's nicht wird.

3. Solang ein Weib liebt, liebt es in einem fort – ein Mann hat dazwischen zu tun.

Jean Paul

4. Die Männer würden den Frauen gern das letzte Wort lassen, wenn sie sicher sein könnten, daß es wirklich das letzte ist.

Peter Ustinov

5. Im echten Manne ist ein Kind versteckt, das will spielen.

Nietzsche

Bilden Sie das Präteritum

Gemischte Verben und Gefühle

Ich hatte eine Tante,
die mich sehr gut __*kannte*__ (kennen)
und mich Liebling _____. (nennen)

Und sie war die Tante,
an die ich mich _____ (wenden)
und ihr Briefe _____ (senden)
oder zu ihr _____, (rennen)
wenn es mal _____. (brennen)

Sie _____, was ich _____. (wissen/denken)
Ich nahm gern, was sie _____, (bringen)
und weiß noch, wie sie lachte.
Was sie wohl später machte?

1

Sortieren Sie die Verben

In welche Spalte gehört das Präteritum?

beginnen, biegen, bieten, binden, brechen, empfehlen, essen, finden, fliegen, fliehen, fließen, frieren, gelten, genießen, gießen, graben, heben, helfen, laden, lesen, liegen, lügen, messen, schieben, schlagen, schließen, schwimmen, schwingen, singen, sinken, sitzen, stechen, stehen, sterben, tragen, verlieren, wachsen, waschen, wiegen, ziehen, zwingen

A
z.B. kam

O
z.B. roch

U
z.b. fuhr

_____

_____

_____

_____

_____

_____

_____

_____

_____

_____

_____

_____

_____

_____

_____

Bilden Sie Adjektive

Hören Sie zuerst die Nomen von der Cassette.

Platonische Liebe

Schreiben Sie einen Liebesbrief an irgend jemand aus Ihrem Kurs. Die Gruppe muß nun erraten, wer der Empfänger sein soll. Der schönste und gefühlvollste Liebesbrief wird prämiert.

Spiel

Wer hätte je daran gedacht, daß man eines Tages einen Apparat erfinden könnte, der imstande ist, aus einem Familienkreis einen Halbkreis zu machen.

W. Hiddens

In immer weniger Ehen und Familien wird miteinander gespielt. Liegt es am Fernsehen? Was meinen Sie?

Hier ist ein Ratespiel, zu dem man Phantasie und gute Deutschkenntnisse braucht: Einer wird zum Schiedsrichter gewählt. Er nennt die untenstehenden Aufgaben.

Sie spielen entweder schriftlich: Jeder schreibt rasch so viele Lösungen auf, wie ihm in einer Minute einfallen. Wer die meisten richtigen hat, erhält den Punkt.
... oder mündlich: Der Schiedsrichter nennt einen bestimmten Buchstaben, mit dem die Lösung beginnen muß. Wer zuerst eine richtige Antwort weiß, bekommt einen Punkt.

Was ist grün? – Was macht die Hausfrau? – Welches Gefühl kann man haben? – Ein Körperteil. – Ein abstrakter Begriff. – Wo bist du nicht gern? – Was ist schwer? – Was ärgert dich? – Ein Fluß. – Ein Schmuckstück. – Was sieht man am Bahnhof? – Was braucht man zum Bauen? – Eine Blume. – Ein Beruf. – Ein männlicher deutscher Vorname. – Ein Teil des Kopfes. – Ein Fisch. – Was kann man sammeln? – Was gibt es in einer Bank? – Was macht glücklich? – Ein Begriff aus der Landwirtschaft. – Ein deutscher Maler, Dichter oder Komponist. – Ein Märchen oder Sprichwort. – Eine Gemüseart. – Eine Sportart. – Etwas aus diesem Zimmer. – Was sieht man beim Spaziergang? – Ein Wort mit der Endung -schaft. – Was bedeutet Liebe? – Ein Wort aus der Mathematik. – Ein Metall. – Ein Begriff aus der Literatur oder aus der Sprache. – Ein Verkehrsmittel. – Was gibt es im Postamt? – Wovor fürchtest du dich? – Was möchtest du werden? – Eine Farbe. – Ein Kleidungsstück. – Ein Land. – Ein Naturprodukt. – Ein Baum. – Wie sieht deine Freundin aus? – Etwas aus der Apotheke. – Eine Frucht. – Ein Teil vom Auto. – Ein Insekt. – Ein Verwandter. – Was ißt du sehr gern? – Ein Haustier. – Teil eines Hauses. – Ein See. – Was gibt es beim Militär? – Ein Gerät in der Küche. – Ein schönes Hobby. – Ein Werkzeug. – Was wünschst du deinem Lehrer? – Was machst du am Wochenende? – Etwas Unsichtbares. – Ein Wort mit der Endung -heit. – Ein Spiel. – Ein Geburtstagswunsch. – Eine deutsche Stadt. – Was kann fliegen? – Ein Berg oder ein Gebirge. – Welchen Namen gibst du deiner Tochter? – Wie sieht dein Chef aus? – Eine Sprache. – Was trinkst du gern? – Ein Schimpfwort. – Was erlebt man auf einer Reise? – Ein Musikinstrument. – Eine Tugend. – Ein Tier, das nicht in Deutschland lebt.

Hören und verstehen

Hören Sie jeweils vier Wörter von der Cassette, und nennen Sie den Oberbegriff.

Typisch Mann – typisch Frau

Männliche und weibliche Kursteilnehmer bilden je eine Gruppe. Sie stellen zusammen, was „typisch" männlich oder weiblich ist. Sprechen Sie dann z. B. über folgende Unterscheidungsmerkmale:

   Tugenden

Temperamente

Choleriker:
wütend, leidenschaftlich, jähzornig, unbeherrscht

Melancholiker:
schwermütig, pessimistisch, langsam, trübsinnig

Phlegmatiker:
behäbig, gleichgültig, gemütlich, schwerfällig

Sanguiniker:
beweglich, lebhaft, leichtblütig, optimistisch

Finden Sie (evtl. mit Wörterbuch) Nomen zu diesen Adjektiven. Zu welcher Kategorie passen Sie oder Ihr Nachbar? Warum?

Mann und Frau

Nach Meinung der Psychologen sind Mann und Frau seelisch verschieden:

Mann:	Frau:
Tatendrang	Passi__ität
Wortkargheit	W___tgewandtheit
S__chen, Werben	Empfangen
Ve__stand	Eingebung
Pflich__	Liebe
G___st	Seele
Wil__e	Gefühl
Beweglichkeit	S__ßhaftigkeit

Lesen Sie die fehlenden Buchstaben der Reihe nach. Dann wissen Sie: Das sind nichts als __ __ __ __ __ __ __ __ __ __!

Oder sind Sie da ganz anderer Meinung?!

Adjektive

Mit den folgenden Adjektiven wird etwas ganz Bestimmtes charakterisiert. Woran denken Sie?

artig, duftig, edel, elegant, gefällig, harmonisch, herzhaft, kernig, körperreich, kräftig, lieblich, mild, rassig, reif, rund, spritzig, voll, wuchtig, würzig

Finden Sie ein maskulines Nomen mit „u"

betrügen	*der Betrug*	genießen	_____	schwingen	_____
brechen	_____	gießen	_____	sprechen	_____
finden	_____	riechen	_____	verlieren	_____
fliegen	_____	rufen	_____	wachsen	_____
fließen	_____	schwinden	_____	ziehen	_____

Dialog zum Nachspielen

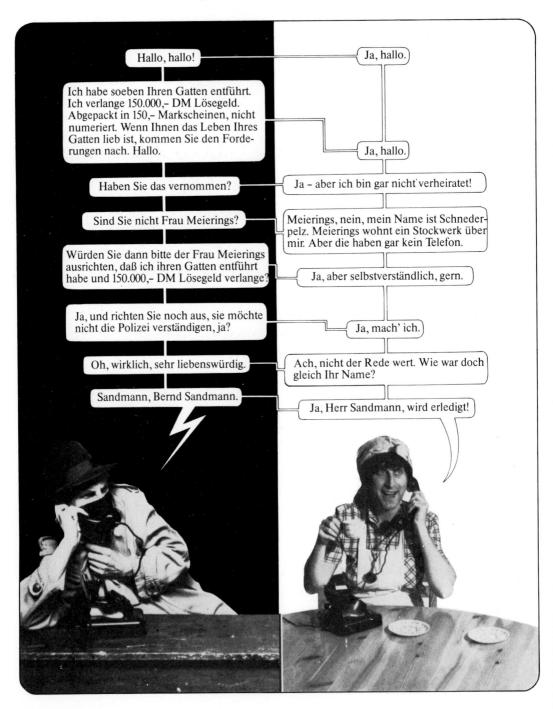

Hallo, hallo!

Ja, hallo.

Ich habe soeben Ihren Gatten entführt. Ich verlange 150.000,– DM Lösegeld. Abgepackt in 150,– Markscheinen, nicht numeriert. Wenn Ihnen das Leben Ihres Gatten lieb ist, kommen Sie den Forderungen nach. Hallo.

Ja, hallo.

Haben Sie das vernommen?

Ja – aber ich bin gar nicht verheiratet!

Sind Sie nicht Frau Meierings?

Meierings, nein, mein Name ist Schnederpelz. Meierings wohnt ein Stockwerk über mir. Aber die haben gar kein Telefon.

Würden Sie dann bitte der Frau Meierings ausrichten, daß ich ihren Gatten entführt habe und 150.000,– DM Lösegeld verlange?

Ja, aber selbstverständlich, gern.

Ja, und richten Sie noch aus, sie möchte nicht die Polizei verständigen, ja?

Ja, mach' ich.

Oh, wirklich, sehr liebenswürdig.

Ach, nicht der Rede wert. Wie war doch gleich Ihr Name?

Sandmann, Bernd Sandmann.

Ja, Herr Sandmann, wird erledigt!

Finden Sie Wortpaare

Setzen Sie ein:

fertig – Galle – Gloria – Gut – Haar – Hof – Hölle – klein – Kegel – Kragen – Kunz – Laune – Pack – Ruh – Tor

1. Er fällt mit Glanz und _____ durch die Prüfung.

2. Der Wolf fraß die Geißlein mit Haut und _____.

3. Wer furchtbar flucht, der spuckt Gift und _____.

4. Wer mit der ganzen Familie in den Urlaub fährt, verreist mit Kind und _____.

5. Wer alles mitbringt, was er hat, kommt mit Sack und _____.

6. Wer sich kaputt und entnervt fühlt, ist fix und _____.

7. Wer vor Wut die Möbel zerschlägt, haut alles kurz und _____.

8. Wer sich waghalsig benimmt, der riskiert Kopf und _____.

9. Wer alles verspielt, was er besitzt, verliert Geld und _____ und Haus und _____.

10. Wer nur nach Lust und _____ arbeitet, der bringt es zu nichts.

11. Wer viele Leute kennt, der ist bekannt mit Hinz und _____.

12. Wem viele Möglichkeiten gegeben werden, dem sind Tür und _____ geöffnet.

13. Wer unermüdlich arbeitet, der arbeitet ohne Rast und _____.

14. Wer alles tut, um etwas Bestimmtes zu erreichen, der setzt Himmel und _____ in Bewegung.

Was bedeutet ...?

1. einen Spitznamen haben
2. einen Korb bekommen
3. seinen Mann stehen
4. treu wie Gold sein
5. einen Seitensprung machen
6. die Frau hat die Hosen an

Finden Sie die Nomen

Hören Sie die Cassette, und finden Sie die Nomen mit „a", „o" und „e".

Sprichwörter

Ergänzen Sie den zweiten Teil des Sprichworts.

1. Wer andern eine Grube gräbt, _____

2. Besser den Spatz in der Hand _____

3. Morgenstund hat _____

4. Vögel, die am Morgen singen, _____

5. Wo gehobelt wird, _____

6. Wer nicht wagt, _____

7. Der Krug geht so lange zum Brunnen, _____

8. Einem geschenkten Gaul _____

9. Was ich nicht weiß, _____

10. Wer Sorgen hat, _____

11. Wo kein Kläger ist, _____

12. Was du nicht willst, das man dir tu', _____

Gold im Mund – das füg auch keinem andern zu – da fallen Späne – der nicht gewinnt – ist auch kein Richter – macht mich nicht heiß – fängt am Abend die Katz' – hat auch Likör – als die Taube auf dem Dach – fällt selbst hinein – guckt man nicht ins Maul – bis er bricht

I. Auch in Ihrer Muttersprache gibt es ganz sicher viele Sprichwörter. Übersetzen Sie einige ins Deutsche, und erklären Sie die tiefere Bedeutung.

II. Antworten Sie, und sagen Sie dann das Sprichwort.

1. Wer hat die größten Kartoffeln?
2. Wen beißen die Hunde?
3. Was frißt der Teufel in der Not?
4. Was soll man nicht nach Athen tragen?
5. Was rostet nicht?
6. Was hat kurze Beine?
7. Was ist Macht?
8. Was soll man nicht im Sack kaufen?
9. Was fällt nicht weit vom Stamm?
10. Was macht blind?
11. Womit fängt man Mäuse?
12. Was ist menschlich?

Wissen – Liebe – Irren – alte Liebe – Lügen – der dümmste Bauer – Fliegen – mit Speck – die Katze – den letzten – der Apfel – Eulen

„Da du gerade am Raten bist – rate mal, was heute vor zwanzig Jahren war..."

Liebe

Die Liebe ist gütig.
Sie ist nicht eifersüchtig,
sie prahlt nicht
und bläht sich nicht auf.
Sie handelt nicht unschicklich,
sucht nicht ihren Vorteil,
sie läßt sich nicht herausfordern
und trägt das Böse nicht nach.
Sie freut sich nicht über das Unrecht,
sondern freut sich mit der Wahrheit.
Sie erträgt alles, glaubt alles,
hofft alles, hält allem stand.

Als ich ein Kind war,
redete ich wie ein Kind,
dachte wie ein Kind
und urteilte wie ein Kind.
Als ich ein Mann wurde,
legte ich alles Kindliche ab.
Jetzt schauen wir in einen Spiegel
und sehen nur rätselhafte Umrisse,
dann aber schauen wir
von Angesicht zu Angesicht.
Jetzt erkenne ich unvollkommen,
dann aber werde ich ganz erkennen,
so wie auch ich ganz erkannt bin.
Also bleiben Glaube, Hoffnung, Liebe,
diese drei;
am größten unter ihnen ist die Liebe.

(Aus: *Das Hohelied der Liebe*, Die Bibel, 1. Korinther 13)

Situative Sprechübungen

I. Sagen Sie etwas Nettes zu Ihrem Partner.

1. Er hat den Führerschein gemacht. Gratulieren Sie ihm!
2. Er hat Zahnschmerzen. Fragen Sie, was Sie für ihn tun können!
3. Sie verabschieden sich nach einer Party, die er gegeben hat.
4. Fragen Sie nach seinen Zukunftsplänen.
5. Er hat sich mit dem Hammer auf den Daumen geschlagen.
6. Erinnern Sie ihn an Ihren Urlaub.
7. Sagen Sie ihm, was Ihnen besonders an seinem Äußeren gefällt.
8. Er ist völlig niedergeschlagen. Fragen Sie, warum, und trösten Sie ihn.
9. Machen Sie ihm einen Heiratsantrag.

II. Ihr Partner geht Ihnen auf die Nerven.

1. Sie sind mit seiner Arbeit im Haushalt unzufrieden.
2. Er hat sich wieder mal nicht rasiert.
3. Er hat vergessen, rechtzeitig zu tanken.
4. Sein Chef hat ihm das Gehalt gekürzt.
5. Er flirtet mit anderen Frauen.
6. Er schlägt die Kinder, trinkt und raucht viel zuviel.
7. Er vergißt Ihren Hochzeitstag.

1

Bilden Sie das Präteritum

Wer war Kurt Tucholsky?

Kurt Tucholsky *lebte* von 1890 bis 1935. Er _____ im Alter von nur 45 Jahren in Schweden durch Freitod. Tucholsky _____ gegen nationale Vorurteile, die Unmenschlichkeit des wachsenden Nationalsozialismus und gegen die Schwächen der Weimarer Republik. Er _____ zu den linken Autoren und gab zusammen mit Carl von Ossietzky, der später im KZ ermordet _____, „Die Weltbühne" heraus. Zu Tucholskys Werken gehören u. a. „Rheinsberg", „Deutschland, Deutschland, über alles", „Schloß Gripsholm". Er war ein scharfsinniger Satiriker und Gesellschaftskritiker.

Kurt Tucholsky

Frauen von Freunden

Frauen von Freunden zerstören die Freundschaft.
Schüchtern erst besetzen sie einen Teil des Freundes,
nisten sich in ihm ein,
warten,
beobachten,
und nehmen scheinbar teil am Freundesbund.

Dies Stück des Freundes hat uns nie gehört –
wir merken nichts.
Aber bald ändert sich das:
Sie nehmen einen Hausflügel nach dem andern,
dringen tiefer ein,
haben bald den ganzen Freund.

Der ist verändert;
es ist, als schäme er sich seiner Freundschaft.
So, wie er sich früher der Liebe vor uns geschämt hat,
schämt er sich jetzt der Freundschaft vor ihr.
Er gehört uns nicht mehr.
Sie steht nicht zwischen uns – sie hat ihn weggezogen.

Er ist nicht mehr unser Freund:
er ist ihr Mann.

Eine leise Verletzlichkeit bleibt übrig.
Traurig blicken wir ihm nach.

Die im Bett behält immer recht.

Spruch

*Eifersucht
ist eine Leidenschaft,
die mit Eifer sucht,
was Leiden schafft!*

**Fragen
zum Gedicht**

1. Kann Freundschaft mehr als Liebe bedeuten?
2. Kann man trotz einer neuen Partnerschaft die alten Freunde behalten?
3. Auf welche Weise kann sich nach Tucholskys Meinung die Trennung von Freunden vollziehen?

Umgangssprache und Redensarten

Als ich sie traf, war es Liebe auf den ersten Blick. Ich war gleich Feuer und Flamme. Natürlich zeigte sie mir zuerst die kalte Schulter. Aber ich sagte mir, da mußt du am Ball bleiben.

Daß ich mich so richtig verknallen konnte, kam ja nur alle Jubeljahre mal vor. Und jetzt war ich ganz aus dem Häuschen vor Glück, wenn ich sie nur *ab und zu* mal sah. Einmal lief sie mir direkt in die Arme, als ich einkaufen war und an der Kasse Schlange stand. Da wollte ich aufs Ganze gehen. Ich faßte mir ein Herz und lud sie gleich auf ein Glas ein.

Wir trafen uns von da ab öfter. Sie merkte natürlich, daß ich ihr den Hof machte. *Hin und wieder* brachte ich Blumen mit, *dann und wann* auch mal Pralinen oder so was, gelegentlich auch mal 'ne Schallplatte.

Mein Freund zog mich immer durch den Kakao, weil ich bis über beide Ohren verknallt war. Er meinte auch, ich sollte aufpassen, daß ich in dieser Beziehung nicht den kürzeren ziehe. Er habe sie da neulich mit einem anderen gesehen. Ich sähe das zu sehr durch die rosarote Brille. Aber ich hab' das alles in den Wind geschlagen.

Ich verabredete mich mit ihr *hier und da* mal in die Kneipe oder in die Disco. Einmal ließ sie mich warten, und ich stand mir die Beine in den Bauch. Schließlich ging ich allein rein und dachte, die kann mich mal, und goß mir einen hinter die Binde. Am nächsten Morgen hatte ich einen unheimlichen Kater.

Ich war natürlich noch wahnsinnig verknallt und verabredete mich dann doch wieder, merkte aber schließlich, daß sie mich an der Nase rumführte und häufig Ausreden hatte. Da wurde ich furchtbar sauer. Endlich versuchte ich, auf eigene Faust herauszufinden, was der Grund war. *Von Zeit zu Zeit* traf ich meinen Freund, und der sagte mir, er hätte da Wind von einer Sache bekommen. Ich stellte sie zur Rede, warum sie die verabredete Bergtour nicht mitmachen wollte. Sie meinte, ich sei irrsinnig eifersüchtig, und das sei doch alles an den Haaren herbeigezogen. Ich sollte nicht so ein Theater machen, und ob ich vielleicht 'nen Streit vom Zaun brechen wollte. Anfangs spielte ich noch die beleidigte Leberwurst. Aber ich konnte ihr doch nicht den Laufpaß geben. Ich sagte mir einfach: Schwamm drüber! Erst später kapierte ich, was wirklich los war. Ich hatte eben 'ne lange Leitung.

Eines Tages wollte sie mir mal wieder einen Bären aufbinden. Sie sagte, daß unser geplantes Skiwochenende ins Wasser fallen müßte. Vielleicht hätte ich da einfach meinen Mund halten sollen. Aber mir ist der Kragen geplatzt. Ich wollte nicht länger nur fünftes Rad am

1

Wagen sein. In meiner Wut hab' ich sie angeschrien: „Du kannst mir gestohlen bleiben! Hau doch ab! Du kannst mit deinem Typ bleiben, wo der Pfeffer wächst."

Als sie mir dann die Schuld in die Schuhe schieben wollte, fuhr ich aus der Haut und knallte ihr eine. Und sie schrie: „Du hast 'n Vogel! Du gehst mir schon lange auf die Nerven mit deiner ewigen Eifersucht! Ich mach' Schluß, darauf kannst du Gift nehmen!"
Ich war wie am Boden zerstört. Wozu noch schmutzige Wäsche waschen? Jetzt tat mir die Ohrfeige leid. Aber sie heulte nur noch lauter und meinte schließlich, daß der andere ihr Bruder wäre. Sie hätte sich öfter mit ihm getroffen, weil sie jemand zum Reden brauchte. Sie wäre in anderen Umständen.

Ich fiel aus allen Wolken. Das kam ja wie ein Blitz aus heiterem Himmel. Da saßen wir ja beide ganz schön in der Tinte, und nun wollte ich sie nicht im Stich lassen.

Ich habe alles auf eine Karte gesetzt: Ob wir es nicht noch mal zusammen versuchen sollten? – Ohne mit der Wimper zu zucken, hat sie ‚ja' gesagt. Mir fiel ein Stein vom Herzen. Der Kleine kam dann im Juni zur Welt – und war mir wie aus dem Gesicht geschnitten.

Synonyme

Finden Sie im Text Synonyme zu „manchmal".

von Zeit zu _____   dann und _____

ab und _____   hier und _____

hin und _____

Was vermuten Sie, was sagen die beiden? Spielen Sie den Dialog.

Silbenrätsel

Finden Sie aus den folgenden Silben je ein Synonym zu
nie → manchmal → oft → meist → stets

> fig – ge – gent – häu – im – le – lich – mals – mei – mer – nie – stens

Finden Sie das Verb

Vergleichen Sie mit dem Text.

einen Kater	*haben*	in anderen Umständen	_____
alles auf eine Karte	_____	in der Tinte	_____
jemand auf die Nerven	_____	jemand zur Rede	_____
aus allen Wolken	_____	jemand an der Nase	_____
schmutzige Wäsche	_____	jemand einen Bären	_____
		den kürzeren	_____

Sprechübung: Umgangssprache

> unheimlich – irrsinnig – wahnsinnig – unwahrscheinlich – irre – furchtbar

Diese Wörter werden (meist von Jugendlichen) in der Umgangssprache benutzt, um etwas Positives oder Negatives gefühlsmäßig zu verstärken.

> *Beispiel:* Der Film war ganz toll.
> Der Film war *unheimlich* toll.

1. Diese Frau sieht sehr gut aus.   2. Einer unserer Lehrer ist ziemlich doof.   3. Meine Frau kann leckeren Salat machen.   4. Das Auto ist total verrostet.   5. Mein Freund hat schöne blaue Augen.   6. Er verdient sehr viel.   7. Hier ist es ganz still.   8. Diese Rockmusik ist sehr laut. 9. Das Essen ist ja spottbillig.   10. Ich bin völlig in sie verliebt.

Finden Sie andere Beispiele?

Finden Sie die Redensarten im Text

sehr wütend werden	*aus der Haut fahren*
ganz begeistert sein	*Flamme*
lange stehen und warten müssen	*Bauch*
zu optimistisch sein	*Brille*
nichts sagen, schweigen	*Mund*
nur langsam etwas begreifen	*Leitung*
seinen ganzen Mut zusammennehmen	*Herz*

1

Biographie erzählen

*Sicher kannten Sie meine Oma Mathilde.
Können Sie ihre Biographie im Präteritum
erzählen? Beginnen Sie mit ihrer Geburt.
Jeder sagt nur einen Satz. Der Inhalt darf sich
nicht widersprechen. Wem nichts mehr einfällt, der kann die Oma sterben lassen, muß
aber dann Oma Mathildes Lebenslauf wiederholen oder die eigene Biographie erzählen!*

Schreiben Sie Ihren Lebenslauf im Präteritum.

Familienstreit

Übernehmen Sie eine Rolle.   *Personen:*

Vater: 51 Jahre alt, ist arbeitslos und findet keine neue Stelle.
Will das kleine Reihenhaus verkaufen und in die Stadt ziehen,
um Arbeit zu finden. Mag keine Rocker und keine laute Musik,
liebt gutes Essen und Gastwirtschaften.

Mutter: 45 Jahre alt, Hausfrau mit Halbtagsjob als Putzhilfe.
Kann nicht mit Geld umgehen. Hat Interesse an Politik, Skat,
Geselligkeit und liebt ihr Häuschen, ihren Garten und die Men-
schen im Ort. Kandidiert für die Grünen.

Andreas: 19 Jahre, Automechaniker-Lehrling, liebt Motorräder, Rock-Musik und die 15jährige Sonja. Will heiraten und aus der elterlichen Wohnung ausziehen. Ist gegen alles, besonders gegen Leute über 40. Will seine Lehre abbrechen und Rennfahrer werden.

Gabi: 17 Jahre, geht aufs Gymnasium, hat Probleme mit den meisten Lehrern und bleibt dieses Jahr wahrscheinlich sitzen. Sieht gut aus und will Fotomodell werden. Will allein nach Afrika trampen.

Opa Karl-Heinrich: 72 Jahre, weiß, daß früher alles anders und viel besser war. Verteidigt seine Enkel gegen die Eltern. Sagt jeden Tag, daß er bald sterben wird und das Testament noch schreiben muß. Ist geizig und hockt den ganzen Tag vorm Fernseher.

Themen:		
	Taschengeldkürzung	Diskothek
	Urlaubsplanung	Wohnungswechsel
	Schulnoten	Arbeitslosigkeit
	Mittagessen	

Denksportaufgabe

Christel ist Jans Schwester. Der Lehrer will wissen, wie viele Geschwister sie haben. Christel antwortet: „Jan hat ebenso viele Schwestern wie Brüder, aber ich habe nur halb so viele Schwestern wie Brüder."

„Und wie alt seid ihr jetzt?" – „Ich bin drei Jahre jünger als Christel", sagt Jan. „Aber in sechs Jahren ist Christel doppelt so alt wie ich heute."

Am nächsten Tag wußte der Lehrer, wie viele Jungen und Mädchen die Eltern haben und wie alt Christel und Jan sind. Und Sie?

1

Finden Sie das passende weibliche Gegenstück

Adam sucht Eva

der Liebhaber	*die Geliebte*	der Schwager	_____
der Onkel	_____	der Cousin	_____
der Bräutigam	_____	der Schwiegersohn	_____
der Gatte	_____	der Herr Gemahl	_____
der Neffe	_____	der Verlobte	_____
der Opa	_____	der Witwer	_____

Merken Sie sich:

sich verlieben in A	verliebt sein in A
sich verloben mit D	verlobt sein mit D
jmd. heiraten (oder:)	
sich verheiraten mit D	verheiratet sein mit D
sich trennen von D	getrennt leben von D
sich scheiden lassen von D	geschieden sein von D
Witwe(r) werden	verwitwet sein
als Junggeselle leben	ledig sein

Finden Sie die entsprechenden Ergänzungen

Familienstand

Beispiel: Ich bin verheiratet.
Ja, ich habe geheiratet.
Das ist meine Ehefrau.
Ich bin ihr Ehemann.

1. Ich bin verlobt.

   Ja, wir haben _____

   Das ist meine Verlobte.

   Ich bin ihr _____

2. Ich bin _____

   Ja, ich habe meinen Mann verloren.

   Mein Mann ist tot.

   Nun bin ich _____

3. Ich bin ledig.

   Ja, ich habe nie geheiratet.

   Ich bin noch immer _____

   Aber ich habe mehrere Freundinnen.

4. Ich lebe getrennt.

   Ja, wir haben uns _____

   Was sind wir nun?

   Wieder ziemlich einsam.

5. Ich bin geschieden.

   Ja, wir _____ lassen.

   Das ist meine Ex-Frau.

   Ich bin ihr Ex-Mann.

Finden Sie ein Nomen

sich verlieben   *die Liebe*

heiraten   _____

sich verloben   _____

sich scheiden lassen _____

sich trennen   _____

Wie denken Sie darüber?

Volksweisheit

Wo ein Mann ist und kein Weib,
da ist ein Haupt und kein Leib;
wo ein Weib ist und kein Mann,
da ist ein Leib und kein Kopf daran.

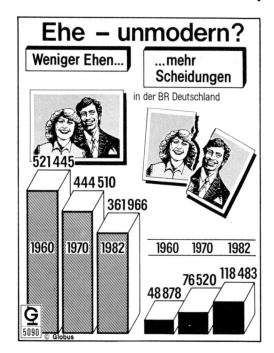

Symbolischer Lebenslauf

Jemand geht an die Tafel und zeichnet nur mit Symbolen seinen Lebenslauf. Die anderen müssen erraten, was er darstellen will.

1

Ein Spiel für die ganze Familie

Jemand nennt ein Feld, z. B. „Länder mit 6 Buchstaben". Wer findet die meisten?
Der Gewinner nennt ein anderes Feld.

	4 Buchstaben	5 Buchstaben	6 Buchstaben	7 Buchstaben
Etwas im Zimmer	e Vase	r Tisch	r Sessel	r Schrank
Tiere				
Körper-teile				
Länder				
Lebens-mittel				
Land-schaft und Natur				

Neue Vokabeln

Nomen	Plural	Verben	Adjektive

der _____ - ____

der _____ - ____

der _____ - ____

der _____ - ____

der _____ - ____

der _____ - ____

der _____ - ____

der _____ - ____

der _____ - ____

der _____ - ____

Sonstiges

die _____ - ____

die _____ - ____

die _____ - ____

die _____ - ____

die _____ - ____

die _____ - ____

die _____ - ____

die _____ - ____

die _____ - ____

die _____ - ____

die _____ - ____

Redewendungen

das _____ - ____

das _____ - ____

das _____ - ____

das _____ - ____

das _____ - ____

das _____ - ____

das _____ - ____

das _____ - ____

das _____ - ____

das _____ - ____

das _____ - ____

2
Medien: Buch, Presse, Rundfunk und Fernsehen

Grammatik: *Konjunktiv I, Genusregeln*

Spaß muß sein

Ein Mann geht in eine Buchhandlung und verlangt ein Buch von Goethe.
– „Was für eine Ausgabe?!" möchte der Buchhändler wissen.
– „Da haben Sie eigentlich recht!" antwortet der Kunde und geht.

(Wenn Sie die Pointe nicht verstehen, schauen Sie die Bedeutungen von *Ausgabe* im Wörterbuch nach.)

Assoziationen

Jeder schreibt ein Wort an die Tafel, das ihm spontan zu den Bereichen Buch, Presse, Rundfunk oder Fernsehen einfällt. Oder: Einer schreibt an, die anderen rufen ihm zu. Versuchen Sie anschließend, gemeinsam zu klären, was Sie mit diesen Wörtern verbinden.

Notieren Sie sich die Nomen, Verben und Adjektive, die Ihnen wichtig erscheinen und die Sie lernen wollen.

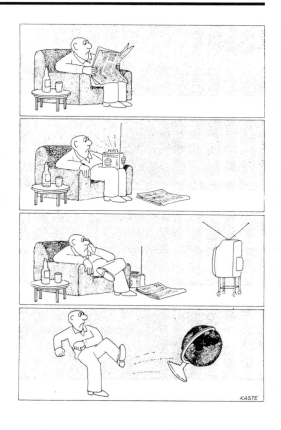

Lückentest

Setzen Sie passende Verben ein.

In der Bundesrepublik **existieren** über 2000 Verlage. Täglich werden über 100 neue Titel
_____. Als Produzent von Büchern _____ die Bundesrepublik in der Welt
nach der Sowjetunion und den USA auf dem dritten Platz. Eine Vielzahl von Büchern _____-
_____ in jedem Herbst zur Frankfurter Buchmesse. Dort wird auch der Friedenspreis des
Deutschen Buchhandels an eine Persönlichkeit oder Institution _____, die „durch
Werk und menschliches Verhalten einen Beitrag zum Frieden _____ hat". Die zen-

trale Bibliothek ist die „Deutsche Bibliothek" in Frankfurt. Hier _____ man nicht nur alle in der Bundesrepublik erscheinenden Veröffentlichungen, sondern auch alle wichtigen deutschsprachigen Schriften des Auslands.

Fragen an Sie

1. Welche Bedeutung haben Bücher und Bibliotheken für Sie?
2. Bücher sind in vielen Buchhandlungen in Plastikfolie eingeschweißt. Finden Sie das gut?
3. Was sind Analphabeten?
4. Welche Probleme bringt der Analphabetismus weltweit mit sich?
5. Sie möchten vielleicht selbst ein Buch schreiben. Worüber würden Sie schreiben?

In den Industriestaaten werden immer mehr Piktogramme verwendet, um Ausländern das Verständnis zu erleichtern. Wie interpretieren Sie diese Piktogramme?

Synonyme

Finden Sie Wortpaare, die eine ähnliche Bedeutung haben:

die Anzeige – die Illustrierte – der Autor – der Verleger – der Buchladen – der Poet – der Verfasser – die Zeitschrift – der Verlagsleiter – die Überschrift – die Einleitung – der Abschnitt – der Dichter – der Titel – die Buchhandlung – die Einführung – das Kapitel – das Inserat

1. *die Anzeige* – *das Inserat*
2. _____ – _____
3. _____ – _____
4. _____ – _____
5. _____ – _____
6. _____ – _____

2

7. _____ – _____

8. _____ – _____

9. _____ – _____

Denksportaufgaben

Welches Wort kann man mit all den folgenden verbinden?

Tage-, Lehr-, Märchen-, Koch-, Haushalts-, Spar-, Fahrten-, Wörter-, Lese-, Kinder-, Taschen-, Fach-, Hand-, Dreh-, Gäste-, Scheck-.

Kennen Sie die Bedeutungen?

Ein Buchhändler, ein Verleger und ein Bibliothekar verabreden sich gelegentlich, um über ihre Lieblingsbücher zu diskutieren. Sie treffen sich abends um zehn beim Wein und haben bis Mitternacht Zeit.

Die drei sind aber nicht nur „Leseratten", sondern auch richtige „Quatschtanten". Jeder von ihnen will möglichst lange und oft zu Wort kommen. Der Buchhändler macht einen Vorschlag: Jeder darf so oft sprechen, wie er möchte, aber immer nur halb so lang wie sein Vorredner.

Alle sind damit einverstanden. Der Buchhändler beginnt und redet eine halbe Stunde lang. Schon um elf verlassen der Verleger und der Bibliothekar ärgerlich das Lokal. Warum?

Bilden Sie kleine Arbeitsgruppen. Diskutieren Sie den Fall gemeinsam, und schreiben Sie die Lösung auf ein Blatt Papier. Tragen Sie Ihre Lösung anschließend vor.

Vokabeltraining

Hören Sie die Nomen von der Cassette, ergänzen Sie den Artikel und sagen Sie ein zum Nomen passendes Verb.

40

Bertolt Brecht

Die Bücherverbrennung

Als das Regime befahl
Bücher mit schädlichem Wissen
Öffentlich zu verbrennen und allenthalben
Ochsen gezwungen wurden, Karren mit Büchern
zu den Scheiterhaufen zu ziehen, entdeckte
ein verjagter Dichter, einer der besten
die Liste der Verbrannten studierend, entsetzt,
daß seine Bücher vergessen waren.
Er eilte zum Schreibtisch, zornbeflügelt,
und schrieb einen Brief an die Machthaber.
Verbrennt mich! schrieb er mit fliegender Feder.
Verbrennt mich! Tut mir das nicht an!
Laßt mich nicht übrig! Habe ich nicht immer
die Wahrheit berichtet in meinen Büchern?
Und jetzt werd ich von Euch wie ein Lügner
behandelt! Ich befehle euch:
Verbrennt mich!

2

Interpretieren Sie die Zitate

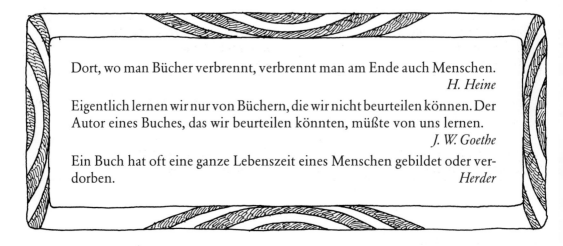

> Dort, wo man Bücher verbrennt, verbrennt man am Ende auch Menschen.
> *H. Heine*
>
> Eigentlich lernen wir nur von Büchern, die wir nicht beurteilen können. Der Autor eines Buches, das wir beurteilen könnten, müßte von uns lernen.
> *J. W. Goethe*
>
> Ein Buch hat oft eine ganze Lebenszeit eines Menschen gebildet oder verdorben.
> *Herder*

Gedicht

von P. W. Hensler

Bei mir kann gar kein Buch veralten.
Kaum hab' ich eins, so muß ich's schon verleihen.
Und so fällt's oft den Leuten ein,
daß es viel leichter sei, die Bücher zu behalten
als das, was sie enthalten.

Geben Sie den Inhalt des Gedichts mit Ihren eigenen Worten wieder.

Konjunktiv I

Merken Sie sich:

1. Der Konjunktiv I ist das Merkmal der indirekten Rede. Er steht in Berichten, in denen wiedergegeben wird, was jemand gelesen oder gehört hat.

Das sagt der Richter:	Das schreibt der Journalist
„Der Angeklagte **hat**..."	in der Zeitung:
	Der Richter sagte, der
	Angeklagte **habe**...

2. In der gesprochenen indirekten Rede wird der Konjunktiv I oft durch den Konjunktiv II ersetzt:

Mein Freund erzählte mir, er **habe** jetzt eine Wohnung gefunden.	Mein Freund erzählte mir, er **hätte** jetzt eine Wohnung gefunden.

3. Das ist besonders dann der Fall, wenn Konjunktiv I und Indikativ Präsens dieselbe Form haben:

Er fragte, ob ich mir das gut überlegt **habe.**	Er fragte, ob ich mir das gut überlegt **hätte.**

Bildung des Konjunktivs I:

Sie nehmen den Verbstamm und die Konjunktiv-Endung.

Die Konjunktiv-Endungen sind:

ich	-e	wir	-en
du	**-est**	ihr	**-et**
er	**-e**	sie	-en

Beispiel:		*Ausnahme:*	
ich müss**e**	wir müssen	ich **sei**	wir **seien**
du müss**est**	ihr müss**et**	du **seiest**	ihr **seiet**
er müss**e**	sie müssen	er **sei**	sie **seien**

Aufgaben

1. Entscheiden Sie: Steht das Verb im Konjunktiv I oder im Indikativ?

er möge, er spiele, sie dürfe, du willst, es bleibe, ihr seiet, du könnest, es soll, er kenne, er könne, er wisse, er mag, Sie seien, er esse, du nimmst, er solle, es regne

2. Konjugieren Sie einige Verben im Konjunktiv I, wenn Sie sich noch nicht sicher genug fühlen:

können, wissen, kennen, haben, sein, mögen, helfen

2

3. Alternativ hierzu: Ihr Nachbar sagt Ihnen irgendeine Verbform im Indikativ. Sie bilden den Konjunktiv I:

> *Beispiel:* es ist – es *sei*
> er darf – er *dürfe*
> usw.

4. Warum wird der Konjunktiv I oft in der Presse, im Rundfunk oder im Fernsehen benutzt?

Setzen Sie passende Verben im Konjunktiv I ein

Zeitungsumfrage

Eine Tageszeitung wollte wissen, welche Bücher für ihre Leser im täglichen Leben am nützlichsten *seien*. Eine Leserin antwortete, das eine _____ das Kochbuch ihrer Mutter, das andere _____ das Scheckbuch ihres Vaters.

Wahrheit

Ein Freund sagte mir neulich, er _____ (wollen) ein Buch über das Problem der Wahrheit schreiben. Er _____ (müssen) aber noch etwas darüber nachdenken. Am nächsten Tag fragte ich ihn, wie weit er denn gekommen _____ (sein). Das Buch _____ (sein) schon fertig, antwortete er, ich _____ (können) es schon lesen. Und dann erklärte er mir, sein Buch _____ (bestehen) nur aus einem Blatt Papier. Auf der ersten Seite stehe, der Satz auf der zweiten Seite _____ (sein) richtig. Auf der zweiten Seite _____ (stehen) nur, der Satz auf der ersten Seite sei falsch. Er _____ (haben) lange nachgedacht und _____ (wissen) nun nicht mehr, ob man in Büchern immer die Wahrheit _____ (lesen).

1. Kennen Sie die Namen dieser Tageszeitungen?

2. Schreiben Sie den Bericht für die Bild-Zeitung: „Münchner stürzte beim Küssen – Intensivstation."

Widerruf

Ein Journalist ärgerte sich wieder einmal über die Politiker und schrieb in einem Kommentar, die Hälfte aller Bundestagsabgeordneten _____ Idioten. Die Politiker waren empört und verlangten, ein Widerruf _____ schnellstens in derselben Zeitung abgedruckt werden. Am nächsten Tag schrieb der Journalist, die Bemerkung _____ ihm leid, denn die Hälfte aller Bundestagsabgeordneten _____ natürlich keine Idioten.

2

Alltägliche und nichtalltägliche Situationen

Übernehmen Sie eine Rolle.

1. Erinnern Sie einen Bekannten daran, Ihnen ein geliehenes Buch zurückzugeben.
2. Sie wollen in einer Buchhandlung ein bestimmtes Deutschbuch kaufen, es ist aber nicht vorrätig. Lassen Sie es bestellen!
3. Ein Vertreter klingelt an Ihrer Wohnungstür und versucht, Sie zu einem Abonnement einer Frauenzeitschrift zu überreden.
4. Sie lesen in Ihrer Tageszeitung eine Todesanzeige mit Ihrem Namen und Ihrer Adresse. Rufen Sie bei der Zeitung an!
5. Fast täglich wird die Morgenzeitung von jemandem geklaut, der früher aufsteht als Sie. Sie vermuten, daß es Ihr Nachbar ist. Reden Sie mit ihm.
6. Sie sitzen in der U-Bahn und lesen. Ihr Nachbar starrt auf Ihre Zeitung. Sie empfinden das als unangenehm. Was tun Sie?

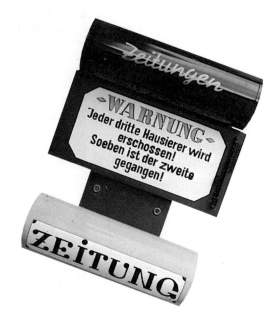

Erklären Sie

Was liest man in diesen Zeitungsrubriken?

1. Außenpolitik
_____
_____
_____

4. Kleinanzeigen
_____
_____
_____

2. Wirtschaft
_____
_____
_____

5. Lokales
_____
_____
_____

3. Feuilleton
_____
_____
_____

6. Sport
_____
_____
_____

Wir machen eine Zeitung

Lesen Sie jeden Tag die ganze Zeitung? Nicht? Natürlich, das meiste ist uninteressant. Machen wir doch unsere eigene Zeitung!

Arbeitsschritte:

1. Wir überlegen uns, was für eine Zeitung das sein soll: Eine alternative Zeitung, eine Wandzeitung, eine Lokalzeitung, eine Kurszeitung oder vielleicht nur ein Flugblatt zu einem aktuellen Problem ...?

2. Denken Sie daran, welche Rubriken es in Zeitungen gibt. Wer interessiert sich für welche Themen? Wer kann welche Aufgaben übernehmen?

3. Wir schreiben kurze Artikel über ...

4. Welcher Artikel ist am interessantesten?

Begriffe erraten

Tragen Sie die fehlenden Begriffe ein. Ihre Anfangsbuchstaben ergeben – von oben nach unten gelesen – den Begriff für eine Spezialliteratur.

1. Zettel, auf dem politische Meinungsäußerungen stehen.
2. Sie ist aktueller als die Morgenausgabe.
3. Dazu zählt man Mickymaus, Asterix, Donald Duck usw.
4. Die Zeitung kaufe ich beim _____.
5. Der _____ bringt mir morgens die Zeitung.
6. Ganz wichtige Ereignisse erscheinen in einem _____.
7. Eine Zeitschrift, die bunt bebildert ist.
8. Wichtige bundesdeutsche Nachrichtensendung im Fernsehen.
9. Der fettgedruckte Titel auf der ersten Zeitungsseite.
10. Ein wichtiges Medium im Zeitalter moderner Kommunikation.
11. Zum Rundfunk zählt man _____ und Fernsehen.

12. Journalistischer Beruf.
13. Fragen und Antworten.
14. Wichtigstes Medium in deutschen Wohnzimmern.
15. Medium zur Tonaufzeichnung.

1. das __lug__l__tt
2. die __b__n__z__ __tu__g
3. das __omi__heft
4. der __ändl__r
5. der __ __itu__gsb__te
6. das __xtr__b__ __tt
7. die __ll__s__r__ __rt__
8. die __ __g__ss__hau
9. die __ch__ag__eile
10. der __omp__t__r
11. der __örfu__k
12. der __ed__kteur
13. das __ __terv__ew
14. der __ __rns__h__r
15. das __onb__ __d

2

Die Lösung

von Bertolt Brecht

Nach dem Aufstand des 17. Juni
Ließ der Sekretär des Schriftstellerverbands
In der Stalinallee Flugblätter verteilen
Auf denen zu lesen war, daß das Volk
Das Vertrauen der Regierung verscherzt habe
Und es nur durch verdoppelte Arbeit
Zurückerobern könne. Wäre es da
Nicht doch einfacher, die Regierung
Löste das Volk auf und
Wählte ein anderes?

Fragen zum Gedicht

1. Was passierte am 17. Juni 1953?

2. Was will Brecht ausdrücken?

3. Unterstreichen Sie die Konjunktivformen.

Aus dem Grundgesetz:

Meinungsfreiheit

Jeder hat das Recht, seine Meinung in Wort, Schrift und Bild frei zu äußern und zu verbreiten und sich aus allgemein zugänglichen Quellen ungehindert zu unterrichten. Die Pressefreiheit und die Freiheit der Berichterstattung durch Rundfunk und Film werden gewährleistet. Eine Zensur findet nicht statt.

Fragen

1. Was ist das Grundgesetz?
2. Sehen Sie einen Widerspruch zwischen Pressekonzentration und Meinungsfreiheit?
3. Welche Bedeutung hat die Pressefreiheit in Ihrem Land?

Hören und verstehen

Wer macht die Meinungen?

I. Hören Sie den folgenden Text zwei- oder dreimal von der Cassette. Machen Sie sich dabei Stichpunkte.

II. Beantworten Sie die sich anschließenden Fragen zum Hörverständnis.
III. Fassen Sie den Text schriftlich zusammen.

Richtig oder falsch?

Wurde das im Text gesagt?   Richtig   Falsch

1. Die Medien der DDR und der Bundesrepublik sind einander sehr ähnlich.   ○   ○
2. In den bundesdeutschen Zeitungen wird so gut wie nie über die DDR geschrieben.   ○   ○
3. In der DDR gibt es keine Punks oder Rocker.   ○   ○
4. Die DDR-Medien sind unabhängig von Staat und Partei.   ○   ○
5. Besucher dürfen ausländische Zeitungen und Bücher in die DDR mitnehmen.   ○   ○
6. Die Berichterstattung der DDR-Medien über den Westen ist sehr negativ.   ○   ○
7. Die meisten Bürger der DDR sehen täglich westliche Fernsehprogramme.   ○   ○
8. In verschiedenen Gegenden der Bundesrepublik ist der Empfang von Fernsehprogrammen aus der DDR möglich.   ○   ○

2

Übertragen Sie die folgenden Verse in den Indikativ:

Deutsche Richtungen

Man sagt mir, im Norden sei's grün.
Da liege eine Insel, die heiße Berlin.

Der Osten sei rot, doch auch die hätten Brot.
Und golden sei's im Westen.
Da lebe man am besten.

Der Süden sei schwarz.
Ach, da wiege der Himmel so schwer.
Für Grüne sei man da weniger.

Und hier und da ein brauner Fleck.
Na, das müsse weg!

Nur SCHWARZ und ROT und GOLD,
so hätten sie's gewollt!

J. Sch.

Aufgaben

I. Welche Bedeutungen können diese Farben im politischen Sprachgebrauch oder in der Umgangssprache haben?

schwarz _____

rot _____

gold _____

grün _____

braun _____

blau _____

II. Geben Sie den Inhalt der folgenden Sätze mit anderen Worten wieder:

1. Er kommt öfters blau nach Hause.
2. Der Junge ist noch grün hinter den Ohren.
3. Vielleicht haben wir bald eine rot-grüne Koalition.
4. Einige Bundesländer haben schwarze Regierungen.
5. Ich sehe in dieser Sache schwarz.
6. Uns geht's ja noch gold.
7. Die Kleine ist wirklich goldig.
8. Manche Politiker hatten eine braune Vergangenheit.
9. Heute machen wir in der Firma blau.
10. Man hat ihn grün und blau geschlagen.
11. Er hat sich über ihn schwarz geärgert.
12. Er ist zwar arbeitslos, aber ich weiß, daß er schwarz arbeitet.
13. Schwarzfahrer müssen DM 50,– bezahlen.

Was halten diese Leute von Journalisten?

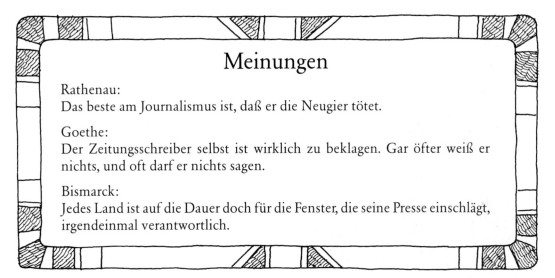

Meinungen

Rathenau:
Das beste am Journalismus ist, daß er die Neugier tötet.

Goethe:
Der Zeitungsschreiber selbst ist wirklich zu beklagen. Gar öfter weiß er nichts, und oft darf er nichts sagen.

Bismarck:
Jedes Land ist auf die Dauer doch für die Fenster, die seine Presse einschlägt, irgendeinmal verantwortlich.

Setzen Sie den Konjunktiv I ein

Rathenau war der Meinung, das beste am Jounalismus *sei* , daß er die Neugier _____ .

Goethe schrieb, der Zeitungsschreiber _____ wirklich zu beklagen. Öfter _____ er nichts, und oft _____ er nichts sagen.

Bismarck glaubte, daß jedes Land auf die Dauer doch für die Fenster, die seine Presse _____ , irgendeinmal verantwortlich _____ .

Denksportaufgabe

Setzen Sie den Konjunktiv I ein.
Einem Detektiv wird folgende Geschichte aus der Zeitung berichtet:

Herr A. *sei* an den Folgen eines Kinobesuchs gestorben. Er _____ sich noch am Abend diesen schrecklich aufregenden Krimi angesehen und _____ danach ins Bett gegangen.

2

Er _____ davon geträumt, daß er einen Geldtransport *bewachen* _____. Er _____ dann im Schlaf geschrien, als die Gangster auf ihn geschossen hätten.

Seine Frau _____ davon *aufgewacht* und _____ versucht, ihren Mann *aufzuwecken*. Kaum _____ der aber *wach geworden*, habe auch noch der *Wecker* geklingelt, und Herr A. _____ im selben Moment vor Schreck einen Herzschlag bekommen.

Der Detektiv hört sich alles nachdenklich an und meint, man _____ bloß nicht alles glauben, was in der Zeitung _____. Denn diese Geschichte stimme auf keinen Fall. Die Polizei _____ die Ehefrau lieber auf die *Wache* bringen und verhören. (Warum?)

Vokabeltraining

Kannten Sie diese Vokabeln? Bilden Sie Sätze.

aufwachen	_____	wach werden	_____
aufwecken	_____	die Wache	_____
bewachen	_____	der Wecker	_____

Die einsame Insel

Werner Höfer, ein Fernsehmoderator, wurde gefragt, welche drei Bücher er auf eine einsame Insel mitnehmen würde. Er antwortete, daß ihm diese drei Bücher wichtig seien:

1. Eine Sammlung deutscher Gedichte, damit er sie in Ruhe lesen, lernen und aufsagen könne.
2. Die Bibel. Er wolle endlich einmal Zeile für Zeile das „Buch der Bücher" selbst durchdenken, nachdem es 2000 Jahre lang von Zuständigen wie Unzuständigen durch Anpreisung und Auslegung zerpflückt worden sei.
3. Ein Tagebuch. Er müsse seine Beobachtungen und Empfindungen aufschreiben.

Welche drei Bücher würden Sie selbst auf eine einsame Insel mitnehmen, und warum?

Interviewen Sie Ihren Tischnachbarn. Schrei- *ben Sie dann einen kurzen Bericht im Konjunktiv I:*

Mein Tischnachbar sagte, er wolle folgende Bücher mitnehmen, _____

Das Genus

In Zeitungstexten findet sich häufig der „Nominalstil". (Was ist das?)
Das Genus vieler Nomen läßt sich oft bereits an der Endung erkennen.

Merken Sie sich diese Faustregeln:

maskulin sind:	**-el, -er, -ich, -ig, -ismus, -ling**
feminin sind:	**-heit, -keit, -schaft, -ung, -enz, -ei, -ie, -ik, -ion, -tät, -e, -ur, -itis**
neutrum sind:	**-ium, -um, -ment, -chen, -lein**

(Ausnahmen sind möglich)

Spiel

1. Es geht der Reihe nach. Einer sagt ein Wort mit einer bestimmten Endung, z.B. die Nationali**tät**. Der Nachbar sagt ein weiteres mit derselben Endung. Wer keins mehr weiß, muß ausscheiden. Vergessen Sie nicht den Artikel!

2. Alternativ hierzu kann man auch folgendes spielen: Jemand sagt ein Nomen mit einer bestimmten Endung, z.B. der Kommun**ismus**. Jeder schreibt so viele Nomen mit derselben Endung auf ein Blatt Papier, wie ihm einfallen. Wer die meisten gefunden hat, hat gewonnen.

Vokabeltraining

Wie heißen hier die Artikel?

Aktion	Fräulein	Mannschaft	Sowjetunion
Appartement	Garantie	Menschheit	Studium
Argument	Gerechtigkeit	Mongolei	Temperament
Bundesrepublik	Gesellschaft	Museum	Temperatur
Beschäftigung	Glasur	Musik	Teppich
Bronchitis	Grafik	Naivität	Tschechoslowakei
Datum	Gymnasium	Natrium	Tätigkeit
Deckel	Helium	Pfennig	Türkei
DDR	Hoffnung	Position	UdSSR
Dummheit	Hypnose	Produktion	Wache
Einzelheit	Häschen	Qualität	Wagen
Empfehlung	Inflation	Realität	Wecker
Entschuldigung	Konstruktion	Schaden	Wirkung
Experiment	Korrespondenz	Schilling	Zeitung
Fotografie	Kreativität	Schwierigkeit	Zentrum

2

Einige Ausnahmen

Kennen Sie die richtigen Artikel?

_____ Käse	_____ Gedanke	_____ Reichtum	_____ Friede(n)
_____ Ende	_____ Gebirge	_____ Name	_____ Irrtum
_____ Funke(n)			

Tonbandübung: Wörter mit schwieriger Aussprache

Hören Sie die folgenden Wörter von der Cassette. Achten Sie auf die Aussprache. Lesen Sie anschließend die Wörter mit ihrem Artikel:

Abonnement	Curry	Grapefruit	Professor
Akademie	Copyright	Gymnasium	Regisseur
Allee	Diktator	Harmonie	Renaissance
Amateur	Drogerie	Journalist	Service (Tafelgeschirr)
Beton	Energie	Kakao	Service (Kundendienst)
Bronzemedaille	Etage	Mannequin	Taille
Bungalow	Fotografie	Museum	
Champignon	Friseur	Orange	
Couch	Garage	Pension	

Nomen mit verschiedenem Genus

Bei manchen Nomen kann man verschiedene Artikel benutzen. Wenn Sie einen Deutschen danach fragen, wird er vielleicht auch nicht so recht wissen, was richtig ist ...

der	die	das	
X		X	Bonbon
			Eidotter
			Filter
			Gulasch
			Gummi
			Joghurt
			Lasso

der	die	das	
X		X	Liter
			Meter
			Radar
			Sakko
			Teil
			Virus

2

Finden Sie das passende Nomen

Manche Nomen haben mit einem anderen Artikel auch eine andere Bedeutung, z. B.:
das Band (Beziehung, Fessel)   *der* Band (Buch)

Setzen Sie ein:

Bauer – Bund – Ekel – Erbe – Gehalt – Heide – Junge – Maß – Paternoster – See – Steuer – Stift – Verdienst – Weise

1. die _____ (bayerisch: 1 Liter Bier)
   das _Maß_____ (richtige Menge, Größe)

2. der _____ (Bündnis)
   das _____ (Bündel)

3. der _____ (jemand, der erbt)
   das _____ (das, was geerbt wird)

4. der _____ (Aufzug)
   das _____ (Vaterunser)

5. der _____ (Abscheu)
   das _____ (widerlicher Typ)

6. der _____ (Binnengewässer)
   die _____ (Meer)

7. die _____ (finanzielle Abgabe)
   das _____ (Lenkrad)

8. der _____ (Lehrling)
   das _____ (Kloster, Stiftung)

9. der _____ (Einkommen)
   das _____ (anerkennenswerte Leistung)

10. der _____ (Inhalt, Wert)
    das _____ (Arbeitsentgelt)

11. der _____ (Knabe)
    das _____ (junges Tier)

12. der _____ (Landwirt)
    das _____ (Vogelkäfig)

13. die _____ (Art, Melodie)
    der _____ (kluger alter Mann)

14. die _____ (Gras- und Buschlandschaft)
    der _____ (Nichtchrist)

2

Vokabeltraining

Kennen Sie zwei Artikel und die Bedeutungen von ...?

1. Harz 2. Kiefer 3. Laster 4. Leiter 5. Mangel 6. Mark 7. Mast 8. Tau 9. Taube
10. Tor

Ähnliche Wörter

Finden Sie den Artikel (mit Wörterbuch).

1. *der* Ritz – *die* Ritze   5. _____ Karre – _____ Karren

2. _____ Röhre – _____ Rohr   6. _____ Spalt – _____ Spalte

3. _____ Socke – _____ Socken   7. _____ Typ – _____ Type

4. _____ Ecke – _____ Eck   8. _____ Zeh – _____ Zehe

Kleinanzeigen

Formulieren Sie zu jedem Bild eine Anzeige.

Kleinanzeigen

Mitfahrer,

Kinderwagen,

Schwarze Kater,

Freizeitsportler,

Kleiderschränke,

Waschmaschinen,

Kegelbrüder

undsoweiter undsoweiter.

Aus der Zeitung

Lesen Sie laut!

Wer hat Lust, mit mir in meinem Segelboot eine Weltreise zu machen? Schreiben Sie an ZS...

Sofort Bargeld! Für Antiquit. aller Art, Gold, Silb., Gemälde, Münzen, alt. Schmuck, Tel. .....

Zauberkünstler verzaub. Ihre Gäste auf Partys und Kinderfest., Tel. ...

Ital.-Dtsch., Dtsch.-Ital. Übers., zuverl. und preisw., Tel. ...

Paar (Akad.) m. 11 Mon. Baby su. f. Skiurlaub Paar zum gegenseit. Babysitting (ca. Ende Feb.), Zuschr. u. ZS...

Hannover-Messe, 5 Zi. zu verm., Tel. ...

Yoga-Anfängerkurs, Beginn: Di, 1. 2. 17.30 Uhr, Tel. ...

Au-pair-Mädchen f. meine 2 Kinder gesucht, leichte Hausarb. erforderl., kl. Taschengeld mögl., eig. Zimmer vorh., Tel. ...

Grün. Wellensittich entflogen. Hört auf d. Namen „Putzi". Geg. hoh. Belohn. abzugeb. bei Tel. ...

Eva, 37, gesch., charm., sportl., unternehmungsl., häusl. möchte nicht mehr all. im eig. Haus leben, sond. m. einem verständnisvollen, lieben u. ehrl. Partner gemeins. in d. Zukunft gehen. Schreiben Sie an Fa. Happy End, Tel. ...

Fotokopierer, autom. Anrufbeantw., Fernschr. gebr. zu verk., Fa. Meyer & Co., Tel. ...

Zu verschenken ist mein neuw. Pelzmantel nicht, aber preisw. abzugeb., Tel. ...

Peter! Ich liebe Dich noch immer! Bitte melde Dich bei mir. Wir wollen alles vergessen. Dein Schatz.

Nachhilfeunterr. in Dtsch. f. Ausl. gibt German.-Stud., Tel. ...

Ein Mann f. alle Fälle übernimmt noch schwierige und diskrete Spezialaufträge. Eig. Flugzeug vorhanden. Zuschriften an Süddtsch. Zeit., ZS...

Vermiete 1-Zi-Aptm., Du., WC, kl. Kü., Nähe U-Bahn, auch an Ausl., geg. Hilfe im Gart. u. im Hs., Tel. ...

Engländer, 23 J., wü. während Semesterferien Unterkunft m. Familienanschl. in dt. Fam. Bin tier- und kinderlieb. Tel. ...

Hilfe bei seel. Problemen. Astro-psychologische Beratung von promov. Psychologen, Tel. ...

Can-Ti-Shan kocht f. Sie u. Ihre Gäste bei Ihnen asiat. Gerichte. Tel. ...

Studentin su. im Okt. Job, Sprachkenntn. Dtsch., Franz., Span., Engl. Zuschrift u. AS...

Thema Drogen: Wir suchen einen Jugendlichen, d. Erfahr. m. drogensüchtigen Freunden hat. Wir sind eine gr. Jugendzeitschr. u. sichern gut. Honorar zu. Zuschriften u. ZS...

Endlich die richtigen Socken! Beste Wollqual. Enorm haltb. und waschmaschinenfest. Riesenauswahl, Schuhgr. 35–53. Prospekt anford. bei ...

Priv. Automarkt, jeden Sonntag im Autokino von 9–17 U., Eintritt f. Käufer frei.

Mitfahrgelegenheit von Berl. nach Hamb. gesucht. Tel. ...

Kindertisch u. -stühle, alt. Schlafzi. preisw. abzugeb., Tel. ...

Aufgaben

1. Einige Anzeigen könnten Sie vielleicht interessieren. Rufen Sie doch mal an, oder schreiben Sie kurze Briefantworten.

2. Nennen Sie Rubriken, in die einige der Anzeigen gehören: (z.B. Automarkt, Bekanntschaften, Bekleidung, Büro, Heirat, Kunsthandel, Mietgesuch, Möbel, Wohnungsangebot, Reise, Stellengesuche, Stellenangebote, Tiermarkt, Unterhaltung, Verkäufe, Verschiedenes).

Situationen

Übernehmen Sie und ein Partner eine Rolle.

1. Sie wollen gern den Western im Fernsehen sehen, aber Ihre Frau lieber die Sportschau. Wer setzt sich durch?

2. Das Fernsehprogramm ist einfach nicht zu finden. Wer hat es bloß?

3. In der Woche der Fußball-Weltmeisterschaft geht Ihnen der Fernseher zum dritten Mal kaputt. Reklamieren Sie bei der Reparaturfirma!

4. Diskutieren Sie, was Sie an einem fernsehfreien Abend in der Familie machen wollen!

5. Opa ist wieder bei der Tagesschau eingeschlafen. Er schnarcht so laut, daß man den Nachrichtensprecher nicht versteht.

6. Aus dem Fernseher kommt plötzlich Rauch.

7. Ihre kleine Tochter verbringt ihre Freizeit immer vor dem Fernseher, während die anderen Kinder draußen spielen.

E. Hürlimann

Tagesschau

Eine ausgewogene Berichterstattung...

(Nicht ganz ernst zu nehmen.)

In der Diskussion meinte der Wortführer der Opposition, in dieser Frage gebe es keine Kompromisse, denn wer wolle bestreiten – das sei klar – wenn es dazu komme, und das könne doch niemand behaupten. Dies müsse nun einmal in aller Deutlichkeit gesagt werden, denn wer habe denn in den letzten Jahren, und das stehe auch nicht im Widerspruch dazu, wie jedermann wisse. Außerdem solle man bedenken, wer denn hier die Unwahrheit sage, man werde

(Fortsetzung S. 60)

Herr Präsident, hohes Haus, meine Damen und Herren!
Der Bundeskanzler hat in seinem letzten Wetterbericht zur Lage
der Nation davon gesprochen, daß der Winter vor der Tür steht.
Ja, da muß ich Sie doch fragen, wer hat denn bereits vor Mona-
ten? Wer hat denn bereits schon im Sommer darauf hingewiesen,
daß die Tage kürzer werden, falls diese Regierung nicht unver-
züglich! Aber sie hat ja nicht. – Wer hat denn gewarnt? Vor dem,
was nun eingetreten ist? Für jedermann sichtbar? Gehen Sie
doch hinaus! Schauen Sie sich doch einmal um draußen im Lande! Sehen Sie sich doch nur unsere Wälder an! – Ja wo sind sie
denn? Ja wo sind sie denn, die Blätter? – Wir haben den Verlust
des gesamten deutschen Blattbestandes zu beklagen! Ach, erzählen Sie mir doch nichts von Tatsachen! Das sind Fakten, meine Damen und Herren! Damit hat man doch rechnen müssen. –
Ich wiederhole hier und heute unsere große Anfrage vom 17. 8.
des Jahres: wann wird die Bundesrepublik endlich überdacht?
Wie lange noch sollen Milliardenwerte, wie das Kongreßzent-
rum und der Hamburger Hafen ungeschützt im Freien herum-
stehen? Wie lange noch will diese Regierung untätig mitanse-
hen, wie deutsche Häuser, deutsche Straßen und deutsche Menschen von oben naßgemacht werden können? – Ja, ja, ja. Nun
höre ich Sie wieder sagen: „Wer wird denn gleich mit Regen rechnen, Hauptsache wir haben Niederschläge." – Aber genau das ist
doch die Einstellung! Und die haben Sie ja nicht erst seit heute!
Als wir die letzte Eiszeit hatten, meine Damen und Herren, ja
wo waren Sie denn da? Ja wo waren Sie denn da? – Nein, ich dul-
de jetzt keine Zwischenfragen. Lassen Sie mich bitte meinen Ge-
dankengang zu Ende bringen: ja wo waren Sie denn da?

ja sehen, wohin man mit diesen Methoden komme, die ja hinreichend bekannt seien. Hier liege doch das Hauptproblem, da gebe es keinen Zweifel. Trotz alledem, er bleibe dabei, wenn überhaupt, so doch hier und heute, er wolle dies noch einmal unterstreichen.

Darauf entgegnete der Regierungssprecher, man solle doch vor der eigenen Türe kehren, schließlich und endlich sei das eine böswillige Unterstellung. Er räumte ein, es gehe nicht an, was auch immer geschehen sei – aber niemand wolle ernsthaft behaupten, was außer Frage stehe. Man solle vielmehr bedenken, hier seien alle aufgerufen, draußen im Lande, man denke auch an die Brüder und Schwestern im anderen Teil Deutschlands. Er bekräftigte, seine Partei setze sich dafür ein, dementsprechende Maßnahmen und zwar sofort an Ort und Stelle gemäß den politischen Erfordernissen, und das habe man ja schon immer gesagt.

Aufgaben

1. Wie sollten Ihrer Meinung nach Nachrichten im Fernsehen gestaltet werden?
2. Welche Rolle spielen die Massenmedien in einer Demokratie und in einer Diktatur?
3. Unterstreichen Sie alle Verbformen im Konjunktiv I.

Redemittel

Spielen Sie Politiker, und beenden Sie die Sätze.

1. Wer will bestreiten, daß ...
2. Es ist klar, daß ...
3. Niemand kann ernsthaft behaupten, daß ...
4. Es muß in aller Deutlichkeit gesagt werden, daß ...
5. Es steht nicht in Widerspruch zu ..., daß ...
6. Jedermann weiß, daß ...
7. Man soll bedenken, daß ...
8. Man wird ja sehen, daß ...
9. Es ist hinreichend bekannt, daß ...
10. Das Hauptproblem liegt darin, daß ...
11. Es gibt keinen Zweifel, daß ...
12. Ich bleibe dabei, daß ...
13. Ich möchte unterstreichen, daß ...
14. Es ist eine Unterstellung, daß ...
15. Wir räumen ein, daß ...
16. Es steht außer Frage, daß ...
17. Ich möchte bekräftigen, daß ...
18. Ich setze mich dafür ein, daß ...
19. Wir haben ja schon immer gesagt, daß ...

Vokabeltraining

Welche der Folgesätze sind logisch?

1. Das Fernsehprogramm ist heute mal wieder stinklangweilig; ...

a) mach den Kasten endlich aus!
b) stell den Fernseher an!
c) schalt doch bitte den Apparat ein!
d) mach mal das Fernsehgerät an!
e) stell die Kiste ab!
f) schalt die Glotze doch einfach aus!

2. Unser Nachbar hat sich schon beschwert; ...

a) du möchtest das Radio leiser drehen.
b) mach doch die Stereoanlage etwas lauter!
c) deine Musik sei ganz schön laut.
d) kannst du den Apparat etwas lauter stellen?
e) dreh mal voll auf!
f) ob es nicht ein bißchen leiser gehe.

Finden Sie Synonyme

1. der Fernseher

_____
_____
_____

2. aus/schalten

_____
_____
_____

3. ein/schalten

_____
_____
_____

Hören und verstehen

Das Telefon ist zu einem wichtigen Kommunikationsmittel geworden. In der Bundesrepublik ist die Post allein dafür zuständig. Hören Sie zweimal einige Telefonansagen der Deutschen Bundespost. Notieren Sie sich einige Stichpunkte. Geben Sie mündlich oder schriftlich den Inhalt wieder.

	Klassenlotterien	1 16 07		Straßenzustandsbericht (bei Bedarf)	11 69
	Küchenrezepte	11 67		Theater- und Konzertveranstaltungen	1 15 17
	Pferdetoto und Rennsportergebnisse	11 52		Verbraucher- und Einkauftips	1 16 06
	Reisevorschläge	1 15 39		Wettervorhersage	11 64
	Sportnachrichten	11 63		Wohin heute? Kabarett, Varieté und sonstige Veranstaltungen	1 15 18
	Stellenangebote des Arbeitsamtes München	1 16 01		Zeitansage	1119

2

Vokabeltraining

Der offizielle Sprachgebrauch und das Umgangsdeutsch unterscheiden sich oft voneinander. So heißt es im Amtsdeutsch der Bundespost „Briefzusteller", während man gewöhnlich „Briefträger" oder „Postbote" sagt. Übersetzen Sie ins Umgangsdeutsch:

Wertzeichen	– _ _ie_ma_ke	Branchen-	
fernmündlich	– _el_f_n_ _ch	Fernsprechbuch	– ge_ _e S_ _te_
öffentlicher		freimachen	– f_an_ie_en
Fernsprecher	– _ _le_o_z_l_e	gebührenfrei	– kos_ _n_os

Wußten Sie schon, daß ...

... Sie auch in Ihrem Land ein deutschsprachiges Programm im Radio empfangen können?

Der Deutschlandfunk und die Deutsche Welle haben die Aufgabe, mit ihren Hörfunksendungen ein umfassendes Bild Deutschlands zu vermitteln. Der Deutschlandfunk bietet Hörfunksendungen für ganz Deutschland, das europäische Ausland und die dort lebenden Deutschen. Er sendet in deutscher Sprache und in 14 europäischen Fremdsprachen. Die Deutsche Welle richtet ihre Programme in über 30 Sprachen auf Kurz- und zum Teil auch auf Mittelwelle in alle Erdteile und betreut mit ihrem deutschsprachigen Programm die in Übersee lebenden Deutschen.

(Aus: *Tatsachen über Deutschland*, 1983)

Hinweise auf Programme, Sendezeiten und Frequenzen erhalten Sie auf Wunsch von den Sendeanstalten.

Hören und verstehen

Hören Sie den Text zum Thema "Medien" zweimal von der Cassette. Markieren Sie dabei durch Pfeile die Zusammenhänge, die Sie verstehen. Formulieren Sie anschließend alles selbst noch einmal frei.

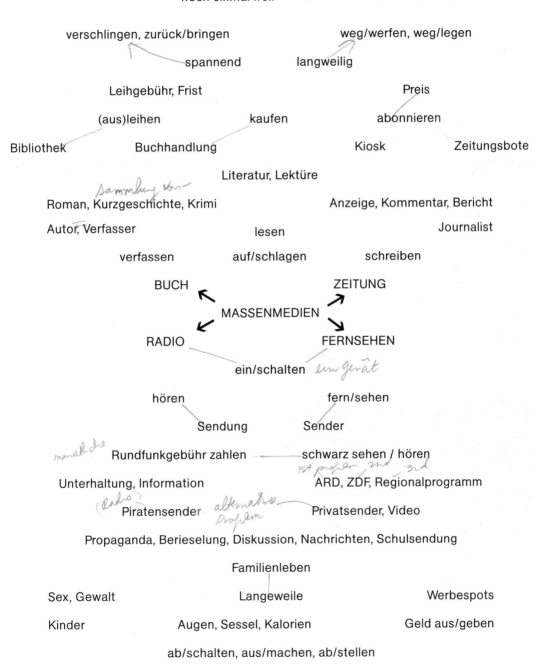

verschlingen, zurück/bringen   weg/werfen, weg/legen

spannend   langweilig

Leihgebühr, Frist   Preis

(aus)leihen   kaufen   abonnieren

Bibliothek   Buchhandlung   Kiosk   Zeitungsbote

Literatur, Lektüre

Sammlung von

Roman, Kurzgeschichte, Krimi   Anzeige, Kommentar, Bericht

Autor, Verfasser   Journalist

verfassen   lesen

auf/schlagen   schreiben

BUCH   ZEITUNG

MASSENMEDIEN

RADIO   FERNSEHEN

ein/schalten *ein Gerät*

hören   fern/sehen

Sendung   Sender

monatliche

Rundfunkgebühr zahlen ——— schwarz sehen / hören

1A program 2nd 3rd

Unterhaltung, Information   ARD, ZDF, Regionalprogramm

(Radio)

Piratensender *alternatives Programm* Privatsender, Video

Propaganda, Berieselung, Diskussion, Nachrichten, Schulsendung

Familienleben

Sex, Gewalt   Langeweile   Werbespots

Kinder   Augen, Sessel, Kalorien   Geld aus/geben

ab/schalten, aus/machen, ab/stellen

2

Der Bildschirm wird zunehmend zu einer Zentrale des Haushalts. Schon seit längerem können Fernsehteilnehmer Informationen sehr verschiedener Art mit „Videotext" auf den Bildschirm holen.
Der Bildschirmtext verbindet den häuslichen Fernsehapparat mit der Bank oder dem Kaufhaus.
Der Kabelanschluß ermöglicht größere Programmvielfalt.
Für die weitere Nutzung des Bildschirms sorgen Heimcomputer, Videospiele, Videorecorder, Bildplatten und Videokameras.

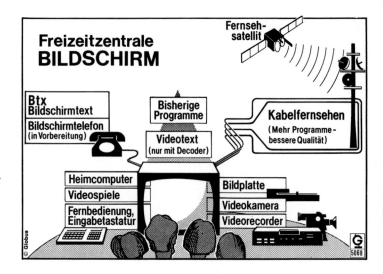

Spiel

Vorwärts – Rückwärts

Schreiben Sie ein Wort einmal vorwärts und einmal rückwärts untereinander. Z.B. den FERNSEHER in dieser Form:

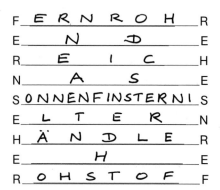

Füllen Sie dann die Lücken zwischen den Anfangs- und Endbuchstaben mit Wörtern aus. Wer zuerst fertig wird, hat gewonnen und denkt sich einen neuen Begriff aus.

Adressen

Bücher:

Verband Deutscher Schriftsteller
Clemensstraße 58
8000 München 23

Deutsches PEN-Zentrum
Sandstraße 10
6100 Darmstadt

Deutsche Bibliothek
Zeppelinallee 8
6000 Frankfurt

Rundfunk und Fernsehen:

ARD
Neckarstraße 145
7000 Stuttgart

ZDF
Essenheimer Landstraße
5000 Köln 51

Deutsche Welle
Bonner Str. 211
5000 Köln 51

Deutschlandfunk
Raderberggürtel 40
5000 Köln 51

Zeitungen und Zeitschriften:

Presse- und Informationsamt
der Bundesregierung
Welckerstraße 11
5300 Bonn 1

Süddeutsche Zeitung
Sendlinger Straße 80
8000 München 2

Frankfurter Allgemeine
Zeitung
Hellerhofstraße 2
6000 Frankfurt 1

Der Spiegel
Brandstwiete 19
2000 Hamburg 11

Die Zeit
Speersort 1
2000 Hamburg 1

Neue Vokabeln

Nomen	Plural	Verben	Adjektive

der _____ – ____

der _____ – ____

der _____ – ____

der _____ – ____

der _____ – ____

der _____ – ____

der _____ – ____

der _____ – ____

der _____ – ____

der _____ – ____

die _____ – ____

die _____ – ____

die _____ – ____

die _____ – ____

die _____ – ____

die _____ – ____

die _____ – ____

die _____ – ____

die _____ – ____

die _____ – ____

die _____ – ____

Sonstiges

das _____ – ____

das _____ – ____

das _____ – ____

das _____ – ____

das _____ – ____

das _____ – ____

das _____ – ____

das _____ – ____

das _____ – ____

das _____ – ____

das _____ – ____

Redewendungen

3
Krieg und Frieden

Grammatik: *Futur I, Konjunktiv II,*
Adjektiv als Nomen, Verben mit Dativ

Bertolt Brecht

Wenn die Haifische Menschen wären

1 „Wenn die Haifische Menschen wären", fragte Herrn K. die kleine Tochter seiner Wirtin,
„wären sie dann netter zu den kleinen Fischen?" „Sicher", sagte er. (...) Die Hauptsache
wäre natürlich die moralische Ausbildung der Fischlein. Sie würden unterrichtet werden, daß es das Größte und Schönste sei, wenn ein Fischlein sich freudig aufopfert, und

5 daß sie alle an die Haifische glauben müßten, vor allem, wenn sie sagten, sie würden für
eine schöne Zukunft sorgen. Man würde den Fischlein beibringen, daß diese Zukunft
nur gesichert sei, wenn sie Gehorsam lernten. Vor allen niedrigen, materialistischen,
egoistischen und marxistischen Neigungen müßten sich die Fischlein hüten und es
sofort den Haifischen melden, wenn eines von ihnen solche Neigungen verriete.

10 Wenn die Haifische Menschen wären, würden sie natürlich auch untereinander Kriege
führen, um fremde Fischkästen und fremde Fischlein zu erobern. Die Kriege würden sie
von ihren eigenen Fischlein führen lassen. Sie würden die Fischlein lehren, daß zwischen ihnen und den Fischlein der anderen Haifische ein riesiger Unterschied bestehe.
Die Fischlein, würden sie verkündigen, sind bekanntlich stumm, aber sie schweigen in

15 ganz verschiedenen Sprachen und können einander daher unmöglich verstehen.
Jedem Fischlein, das im Krieg ein paar andere Fischlein, feindliche, in anderer Sprache
schweigende Fischlein tötete, würden sie einen kleinen Orden aus Seetang anheften
und den Titel Held verleihen.
Wenn die Haifische Menschen wären, gäbe es bei ihnen natürlich auch eine Kunst. Es

20 gäbe schöne Bilder, auf denen die Zähne der Haifische in prächtigen Farben, ihre
Rachen als reine Lustgärten, in denen es sich prächtig tummeln läßt, dargestellt wären.
Die Theater auf dem Meeresgrund würden zeigen, wie heldenmütige Fischlein begei-
stert in die Haifischrachen schwimmen, und die Musik wäre so schön, daß die
Fischlein unter ihren Klängen, die Kapelle voran, träumerisch, und in allerange-

25 nehmste Gedanken eingelullt, in die Haifischrachen strömten.

Auch eine Religion gäbe es da, wenn die Haifische Menschen wären. Sie würde lehren, daß die Fischlein erst im Bauch der Haifische richtig zu leben begännen. Übrigens würde es auch aufhören, wenn die Haifische Menschen wären, daß alle Fischlein, wie es jetzt ist, gleich sind. Einige von ihnen würden Ämter bekommen und über die anderen
35 gesetzt werden. Die ein wenig größeren dürften sogar die kleineren auffressen. Das wäre für die Haifische nur angenehm, da sie dann selber öfter größere Brocken zu fressen bekämen. Und die größeren, Posten habenden Fischlein würden für die Ordnung unter den Fischlein sorgen, Lehrer, Offiziere, Ingenieure im Kastenbau usw. werden. Kurz, es gäbe überhaupt erst eine Kultur im Meer, wenn die Haifische Menschen wären.

Fragen zum Text

1. Welchen Charakter sagt man Haifischen nach?
2. Wer sind die Haifische, welche Menschen sind „kleine Fische"?
3. Was zählt zur moralischen Ausbildung der Fischlein? (Opferbereitschaft – Autoritätsgläubigkeit – Disziplin – Optimismus – Materialismus – Denunziation – Solidarität – Heldentum – Gleichheit – Ordnung)
4. „Die Fischlein ... schweigen in ganz verschiedenen Sprachen und können einander daher unmöglich verstehen." – Ist das Lernen von Fremdsprachen wichtig für ein friedliches Zusammenleben der Völker?
5. Welche Funktion hätte die Kunst, wenn die Haifische Menschen wären?
6. Was wäre die Aufgabe der Religion?
7. Welches Bild der menschlichen Kultur zeichnet Brecht in dieser Geschichte?

Aufgabe
Unterstreichen Sie sämtliche Verbformen im Konjunktiv II.

Konjunktiv II

Präsens	Präterium	Konjunktiv II
er gibt	er gab	er gäbe

3

I. Bilden Sie das Präteritum und den Konjunktiv II:

kommen, bleiben, schreiben, denken, nehmen, treffen, lesen, sehen, essen, fahren, fallen, gehen, anfangen, bitten, bieten, liegen, wachsen, beginnen, tragen, fliehen, lügen, verlieren, sinken, schießen, sein, haben, werden.

kosten, arbeiten, rechnen, mieten, öffnen, antworten, hoffen, hören, telefonieren, studieren, versuchen, gehören.

II. Wie heißen die Konjunktiv-Endungen?

ich ___– e___   wir _____

du _____   ihr _____

er _____   sie _____

Merken Sie sich:

In der gesprochenen Sprache wird meist die Umschreibung mit *würde* benutzt, z. B. *ich würde schlafen* (statt: *ich schliefe*).

Konjunktiv-Quiz

1. Der Konjunktiv I wird benutzt bei
   a) indirekter Rede
   b) Wunschsätzen
   c) Bedingungssätzen

2. Der Konjunktiv I hat unregelmäßige Endungen beim Verb
   a) haben
   b) sein
   c) werden

3. Die Endungen sind bei der Bildung von Konjunktiv I und Konjunktiv II
   a) ähnlich
   b) gleich
   c) völlig verschieden

4. Wie heißt die 2. Person Plural im Konjunktiv I des Verbs *sein*?
   a) ihr seit
   b) ihr seid
   c) ihr seiet

5. Welche Formen sind grammatisch korrekt?
   Sie schrieb ihm, daß sie zu Besuch komme.
   Sie schrieb ihm, daß sie zu Besuch käme.
   Sie schrieb ihm, daß sie zu Besuch kommen würde.
   a) alle drei
   b) die ersten beiden
   c) die letzten beiden

6. Welche dieser Konjunktivformen benutzt man in der Umgangssprache am häufigsten?
   a) er treffe
   b) er träfe
   c) er würde treffen

7. Welche dieser Verben finden Sie im Konjunktiv II auch in der Umgangssprache?
   a) er ginge, er wüßte, er käme, er bliebe, er hätte, er wäre
   b) er spränge, er sänge, er würfe, er stürbe, er hinge
   c) er schritte, er äße, er büke, er schösse, er stünde

Bilden Sie die Negationsformen

irgendwo   – n_ _g_ _ds/_i_ _e_ _w_   (irgend)einer   – _e_ _e_

irgendwohin   – n_ _ _e_ _ _o_in   (et)was   – n_ _ _t_

(irgend) jemand – _ie_ _ _d   (ein)mal   – n_ _(mals)

Sie wünschen sich das Gegenteil

Beispiel:	Es kommt niemand.		
	Wenn	nur bloß doch	jemand einer irgendeiner	käme! kommen würde!

1. Mir hilft keiner.
2. Hier gibt es nichts zu rauchen.
3. Er wird mir nie schreiben.
4. Ich kann meinen Freund nirgends finden.
5. Ich verstehe leider gar nichts.
6. Im Urlaub fahren wir nirgendwohin.
7. Es ist leider niemand zu Hause.
8. Er vergißt immer irgendwas!
9. Sie weiß nichts von ihrer Familie.
10. Man kann nichts zu essen kaufen.
11. Ich kann nicht einschlafen.
12. Er verdient viel zuwenig Geld.
13. Ich darf nicht meine Meinung sagen.
14. Überall auf der Welt gibt es Atomwaffen.
15. Er besucht mich leider nie.

Denken Sie daran, zur Bildung des Konjunktivs bei schwachen Verben die Umschreibung mit „würde" zu benutzen.

Gedanken sammeln

Schreiben Sie an die eine Tafelhälfte den Begriff „Frieden" und an die andere Tafelhälfte den Begriff „Krieg". Fügen Sie andere Wörter hinzu, die Sie spontan mit den beiden Begriffen verbinden. Auf welcher Seite haben Sie mehr Wörter gefunden? Warum?

Diskussion: Atombunker

In verschiedenen Ländern versucht man, die Bevölkerung vor den Gefahren eines Atomkrieges durch den Bau von Atombunkern zu schützen. Was halten Sie davon?

1. Wie sinnvoll ist es, Atombunker zu bauen?
2. Welche Folgen hätte ein Atomschlag für die Natur?
3. Könnte man nach dem Verlassen eines solchen Atombunkers noch weiterleben?

3

Vater und Sohn über den Krieg

nach Karl Valentin

Verstehen Sie bayrisch?

Formen Sie den folgenden Text um. Ersetzen Sie dabei die kursiv gedruckten Wörter durch die links stehenden Vokabeln.

Aus der Süddeutschen Zeitung

neu
      Die *jüngsten* demoskopischen Erhebungen belegen nach Informationen der SZ, daß junge Frauen die Bundeswehr

immer mehr
halten für, mehr
  zunehmend als attraktive Alternative zur freien Wirtschaft *empfinden.* Dies zeigt sich auch in *einer wachsenden Zahl von* Anfragen und Bewerbungen. Etwa die Hälfte aller Bürger *hal-*

denken, Wehrdienst
meinen
  ten demnach das *Soldatsein für* eine reine Männersache. Immerhin sind aber 44% der *Meinung*, Frauen solle die Mög-lichkeit gegeben werden, sich freiwillig zur Bundeswehr zu

aber, Meinung
  melden; *jedoch* ist die Mehrheit dabei der *Ansicht*, sie dürften keinen Dienst mit der Waffe leisten.

(Aus: *Süddeutsche Zeitung* vom 6.8.82)

Aufgaben

1. Finden Sie eine Überschrift zum Text.
2. Was halten Sie von Meinungsumfragen?

Interview
  Machen Sie Interviews mit weiblichen Teilnehmern aus Ihrem Deutschkurs. Fragen Sie nach Gründen für oder gegen die Teil-nahme von Frauen am Wehrdienst. Benutzen Sie evtl. einen Cassettenrecorder. (Spielen Sie die Ergebnisse der Gruppe vor.)

Unsere Macht ist zerstörerisch

Wir können heute in Stunden vernichten, was in vier Milliarden Jahren gewachsen ist. Es gibt heute – man muß es sich immer wieder klarmachen – pro Kopf mehr Sprengstoff als Nah-rungsmittel. Bisher kannten die Menschen nur den individuellen Tod. Heute haben wir eine Ahnung vom kollektiven Tod.

Unsere Macht ist zerstörerisch.Wir können zwar die Schöpfung beenden und alle Menschen töten, aber wir können keinen einzigen Menschen erschaffen. Daß wir nicht einmal einen grünen Grashalm erschaffen können und trotzdem keinen Schöpfer mehr anerkennen wollen, zeigt, was uns heute am meisten fehlt: Selbsterkenntnis, Einsicht in unsere Grenzen.

Wer die Gesetze der Natur kennt, ist noch lange kein Gesetzgeber. Menschen sollen nur eines: in Bescheidenheit sich selbst erhalten. Wenn wir diese Aufgabe nicht erfüllen, wird ewige Finsternis sein: Es wird dann keinen Krieg und keinen Frieden mehr geben, keinen Haß und keine Liebe, keine Trauer und keine Freude, keinen Tod mehr und nie mehr die Geburt eines Kindes.

(Aus: Franz Alt, *Frieden ist möglich*)

„Er zwingt mich ja, nachzurüsten; zählen Sie nach:
er kann mich zehnmal töten – ich ihn nur neunmal!"

Textrekonstruktion

1. Heute *kann* man in Stunden _____, was in Milliarden von Jahren gewachsen ist.
2. Es gibt heute pro Kopf _____ Nahrungsmittel _____ Sprengstoff.
3. _____ wir nicht einmal einen grünen Grashalm erschaffen können, wollen wir keinen Schöpfer mehr anerkennen.
4. _____, der die Gesetze der Natur kennt, ist noch lange kein Gesetzgeber.
5. Es ist die _____ des Menschen, in Bescheidenheit sich selbst _____ erhalten.
6. Es wird dann keinen _____ und keinen Frieden mehr geben, keinen _____ und keine Liebe, keine _____ und keine Freude, keinen Tod mehr und nie mehr die _____ eines Kindes.

Die Weihnachtsgeschichte nach Lukas

In jenen Tagen erließ Kaiser Augustus den Befehl, alle Bewohner des Reiches in Steuerlisten einzutragen.

Dies geschah zum erstenmal; damals war Quirinius Statthalter von Syrien.

Da ging jeder in seine Stadt, um sich eintragen zu lassen.

So zog auch Josef von der Stadt Nazareth in Galiläa hinauf nach Judäa in die Stadt Davids, die Bethlehem heißt; denn er war aus dem Haus und Geschlecht Davids.

Er wollte sich eintragen lassen mit Maria, seiner Verlobten, die ein Kind erwartete.

Als sie dort waren, kam für Maria die Zeit ihrer Niederkunft, und sie gebar ihren Sohn, den Erstgeborenen.

Sie wickelte ihn in Windeln und legte ihn in eine Krippe, weil in der Herberge kein Platz für sie war.

In jener Gegend lagerten Hirten auf freiem Feld und hielten Nachtwache bei ihrer Herde.

Da trat der Engel des Herrn zu ihnen, und der Glanz des Herrn umstrahlte sie.

Sie fürchteten sich sehr, der Engel aber sagte zu ihnen:

Fürchtet euch nicht, denn ich verkünde euch eine große Freude, die dem ganzen Volk zuteil werden soll:

Heute ist euch in der Stadt Davids der Retter geboren; er ist der Messias, der Herr.

Und das soll euch als Zeichen dienen: Ihr werdet ein Kind finden, das, in Windeln gewickelt, in einer Krippe liegt.

Und plötzlich war bei dem Engel ein großes himmlisches Heer, das Gott lobte und sprach:

Verherrlicht ist Gott in der Höhe, / und auf Erden ist Friede / bei den Menschen seiner Gnade.

Als die Engel sie verlassen hatten und in den Himmel zurückgekehrt waren, sagten die Hirten zueinander: Kommt, wir gehen nach Bethlehem, um das Ereignis zu sehen, das uns der Herr verkünden ließ.

So eilten sie hin und fanden Maria und Josef und das Kind, das in der Krippe lag.

Als sie es sahen, erzählten sie, was ihnen über dieses Kind gesagt worden war.

Und alle, die es hörten, staunten über die Worte der Hirten.

Maria aber bewahrte alles, was geschehen war, in ihrem Herzen und dachte darüber nach.

Die Hirten kehrten zurück, rühmten Gott und priesen ihn für das, was sie gehört und gesehen hatten; denn alles war so gewesen, wie es ihnen gesagt worden war.

Fragen

1. Warum nennt man Weihnachten das Fest des Friedens?
2. Können die Religionen dieser Welt Frieden sicherer machen?
3. Erzählen Sie die Weihnachtsgeschichte mit Ihren Worten.

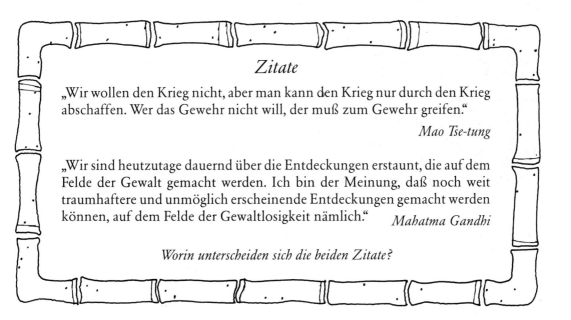

Zitate

„Wir wollen den Krieg nicht, aber man kann den Krieg nur durch den Krieg abschaffen. Wer das Gewehr nicht will, der muß zum Gewehr greifen."

Mao Tse-tung

„Wir sind heutzutage dauernd über die Entdeckungen erstaunt, die auf dem Felde der Gewalt gemacht werden. Ich bin der Meinung, daß noch weit traumhaftere und unmöglich erscheinende Entdeckungen gemacht werden können, auf dem Felde der Gewaltlosigkeit nämlich."

Mahatma Gandhi

Worin unterscheiden sich die beiden Zitate?

Wolfgang Borchert

Lesebuchgeschichten

Alle Leute haben eine Nähmaschine, ein Radio, einen Eisschrank und ein Telefon. Was machen wir nun? fragte der Fabrikbesitzer.

Bomben, sagte der Erfinder.

Krieg, sagte der General.

Wenn es denn gar nicht anders geht, sagte der Fabrikbesitzer.

Fragen

1. Wenn der Markt mit Konsumgütern gesättigt ist, wird weniger gekauft und weniger produziert. Arbeitsplätze gehen verloren. Halten Sie es für richtig, wenn der Staat versucht, Arbeitsplätze durch Rüstungsaufträge zu sichern?

2. Meinen Sie, daß es zum Wesen des Menschen gehört, Kriege zu führen und alles zu zerstören, um es dann wieder aufzubauen?

3. Nennen Sie einige Ursachen für die Entstehung von Kriegen.

3

Der Mann mit dem weißen Kittel schrieb Zahlen auf das Papier. Er machte ganz kleine zarte Buchstaben dazu.

Dann zog er den weißen Kittel aus und pflegte eine Stunde lang die Blumen auf der Fensterbank. Als er sah, daß eine Blume eingegangen war, wurde er sehr traurig und weinte.

Und auf dem Papier standen die Zahlen. Danach konnte man mit einem halben Gramm in zwei Stunden tausend Menschen totmachen.

Die Sonne schien auf die Blumen.
Und auf das Papier.

Fragen

1. Haben Wissenschaftler eine moralische Verpflichtung für das, was sie erforschen, oder ist es nicht ihre Aufgabe, sich um Politik zu kümmern?
2. Wie interpretieren Sie das: „Die Sonne schien auf die Blumen. Und auf das Papier"?

Hören und verstehen

Hören Sie zwei weitere Texte aus den „Lesebuchgeschichten" von Wolfgang Borchert. Geben Sie den Inhalt wieder.

BORCHERT, *Wolfgang, Schriftsteller, * Hamburg 20. Mai 1921, † Basel 20. Nov. 1947, zuerst Buchhändlerlehrling, dann Schauspieler. 1941 an der Ostfront schwer verwundet, zweimal denunziert wegen Äußerungen „gegen Staat und Partei" und inhaftiert. B. ist ein Dichter der „verlorenen Generation", die um Jugend und Zukunft betrogen wurde. Zu früher Meisterschaft gelangte B. in dem Heimkehrerdrama „Draußen vor der Tür" (1947) und in seinen Kurzerzählungen.*

Paul Celan

Todesfuge

SCHWARZE Milch der Frühe wir trinken sie abends
wir trinken sie mittags und morgens wir trinken sie nachts
wir trinken und trinken
wir schaufeln ein Grab in den Lüften da liegt man nicht eng
Ein Mann wohnt im Haus der spielt mit den Schlangen der schreibt
der schreibt wenn es dunkelt nach Deutschland dein goldenes Haar Margarete
er schreibt es und tritt vor das Haus und es blitzen die Sterne er pfeift seine Rüden herbei
er pfeift seine Juden hervor läßt schaufeln ein Grab in der Erde
er befiehlt uns spielt auf nun zum Tanz

Schwarze Milch der Frühe wir trinken dich nachts
wir trinken dich morgens und mittags wir trinken dich abends
wir trinken und trinken
Ein Mann wohnt im Haus der spielt mit den Schlangen der schreibt
der schreibt wenn es dunkelt nach Deutschland dein goldenes Haar Margarete
Dein aschenes Haar Sulamith wir schaufeln ein Grab in den Lüften da liegt man nicht eng
Er ruft stecht tiefer ins Erdreich ihr einen ihr andern singet und spielt
er greift nach dem Eisen im Gurt er schwingts seine Augen sind blau
stecht tiefer die Spaten ihr einen ihr andern spielt weiter zum Tanz auf

Schwarze Milch der Frühe wir trinken dich nachts
wir trinken dich mittags und morgens wir trinken dich abends
wir trinken und trinken
ein Mann wohnt im Haus dein goldenes Haar Margarete
dein aschenes Haar Sulamith er spielt mit den Schlangen

Er ruft spielt süßer den Tod der Tod ist ein Meister aus Deutschland
er ruft streicht dunkler die Geigen dann steigt ihr als Rauch in die Luft
dann habt ihr ein Grab in den Wolken da liegt man nicht eng

Schwarze Milch der Frühe wir trinken dich nachts
wir trinken dich mittags der Tod ist ein Meister aus Deutschland
wir trinken dich abends und morgens wir trinken und trinken
der Tod ist ein Meister aus Deutschland sein Auge ist blau
er trifft dich mit bleierner Kugel er trifft dich genau
ein Mann wohnt im Haus dein goldenes Haar Margarete
er hetzt seine Rüden auf uns er schenkt uns ein Grab in der Luft
er spielt mit den Schlangen und träumet der Tod ist ein Meister aus Deutschland
dein goldenes Haar Margarete
dein aschenes Haar Sulamith

3

amnesty international

Fragen zur Interpretation

1. Von welcher Umgebung spricht das Gedicht?
2. Was bedeutet „schwarze Milch"?
3. Welche anderen Bilder werden benutzt, was drücken sie aus?
4. Wen repräsentieren Margarete und Sulamith; wer ist der Mann in dem Haus?
5. Interpretieren Sie das Gedicht mit Hilfe dieser Wörter: KZ, Herrenrasse, Aufseher, Verbrennung, das Böse, Untermenschen, Erlösung, Zynismus, Perfektionismus, Monotonie, Hoffnungslosigkeit.
6. Kann man das Gedicht nur auf die deutsche Vergangenheit beziehen oder auch auf ähnliche Vorgänge in anderen Ländern heute?

Welche Aufgabe hat ai?

Finden Sie die Verben

der Dienst	*dienen*	die Rüstung	
die Einberufung		der Schuß	
die Entlassung		das Feuer	
die Verpflegung		der Befehl	
die Bekleidung		der Marsch	
die Bewaffnung		die Wache	
der Angriff		die Vernichtung	
die Zerstörung		die Verteidigung	

Welche Verben sind stark? Welche sind trennbar?

Ergänzen und vergleichen Sie

VERFASSUNG DER DDR, ARTIKEL 23,1

Der Schutz *des* Friedens und des sozialistischen Vaterlandes und seiner Errungenschaften ist Recht und Ehrenpflicht _____ Bürger _____ Deutschen Demokratischen Republik. Jeder Bürger ist zum Dienst und _____ Leistungen für die Verteidigung _____ Deutschen Demokratischen Republik entsprechend _____ Gesetzen verpflichtet.

GRUNDGESETZ FÜR DIE BUNDESREPUBLIK DEUTSCHLAND, ARTIKEL 4, 3

Niemand darf _____ sein Gewissen zum Kriegsdienst _____ der Waffe gezwungen werden. Das Nähere regelt ein Bundesgesetz.

Hören und verstehen

Wofür?

Hören Sie ein Gedicht von Manfred Mai von der Cassette.

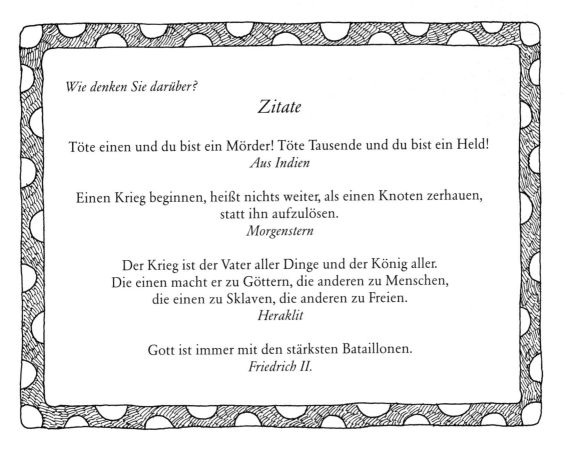

Wie denken Sie darüber?

Zitate

Töte einen und du bist ein Mörder! Töte Tausende und du bist ein Held!
Aus Indien

Einen Krieg beginnen, heißt nichts weiter, als einen Knoten zerhauen,
statt ihn aufzulösen.
Morgenstern

Der Krieg ist der Vater aller Dinge und der König aller.
Die einen macht er zu Göttern, die anderen zu Menschen,
die einen zu Sklaven, die anderen zu Freien.
Heraklit

Gott ist immer mit den stärksten Bataillonen.
Friedrich II.

3

Kurt Tucholsky

Und wenn alles vorüber ist

Und wenn alles vorüber ist –; wenn sich alles totgelaufen hat: die Wonne, in Massen aufzutreten und in Gruppen Fahnen zu schwenken. Dann *wird* einer kommen, der *wird* eine geradezu donnernde Entdeckung machen: er *wird* den Einzelmenschen entdecken. Er *wird* sagen: es gibt einen Organismus, Mensch geheißen, auf den kommt es an. Ob der glücklich ist, das ist die Frage. Daß er frei ist, das ist das Ziel. Gruppen sind etwas Sekundäres. Es kommt nicht darauf an, daß der Staat lebe – es kommt darauf an, daß der Mensch lebe!

Bertolt Brecht

Die Seeräuber-Jenny

Meine Herren, heute sehen Sie mich Gläser abwaschen
Und ich mache das Bett für jeden.
Und Sie geben mir einen Penny und ich bedanke mich schnell
Und Sie sehen meine Lumpen und dies lumpige Hotel
Und Sie wissen nicht, mit wem Sie reden.
Aber eines Abends *wird* ein Geschrei sein am Hafen
Und man fragt: Was ist das für ein Geschrei?
Und man *wird* mich lächeln sehn bei meinen Gläsern
Und man sagt: Was lächelt die dabei?
Und ein Schiff mit acht Segeln
Und mit fünfzig Kanonen
wird liegen am Kai.

Und man sagt: Geh, wisch deine Gläser, mein Kind!
Und man reicht mir den Penny hin.
Und der Penny *wird* genommen, und das Bett *wird* gemacht.
(Es *wird* keiner mehr drin schlafen in dieser Nacht.)
Und Sie wissen immer noch nicht, wer ich bin.
Aber eines Abends *wird* ein Getös sein am Hafen
Und man fragt: Was ist das für ein Getös?

Und man *wird* mich stehen sehen hinterm Fenster
Und man sagt: Was lächelt die so bös?
Und das Schiff mit acht Segeln
Und mit fünfzig Kanonen
wird beschießen die Stadt.

Meine Herren, da *wird* wohl Ihr Lachen aufhörn
Denn die Mauern *werden* fallen hin
Und die Stadt *wird* gemacht dem Erdboden gleich
Nur ein lumpiges Hotel *wird* verschont von jedem Streich
Und man fragt: Wer wohnt Besonderer darin?
Und in dieser Nacht *wird* ein Geschrei um das Hotel sein
Und man fragt: Warum *wird* das Hotel verschont?
Und man *wird* mich sehen treten aus der Tür gen Morgen
Und man sagt: Die hat darin gewohnt?
Und das Schiff mit acht Segeln
Und mit fünfzig Kanonen
wird beflaggen den Mast.

Und es *werden* kommen hundert gen Mittag an Land
Und *werden* in den Schatten treten
Und fangen einen jeglichen aus jeglicher Tür
Und legen ihn in Ketten und bringen vor mir
Und fragen: Welchen sollen wir töten?
Und an diesem Mittag *wird* es still sein am Hafen
Wenn man fragt, wer wohl sterben muß.
Und dann *werden* sie mich sagen hören: Alle!
Und wenn dann der Kopf fällt, sag ich: Hoppla!
Und das Schiff mit acht Segeln
Und mit fünfzig Kanonen
wird entschwinden mit mir.

Das Verb „werden"

werden hat verschiedene Funktionen:
1. Er wird sicher mal ein guter Rechtsanwalt. (Vollverb mit Nominativ)
2. Es wird hell. Er wird rot. (Vollverb)
3. Er wird überleben. Ich werde kommen. (Vermutung, Absicht)
4. Der Brief wird sofort geöffnet. (Passiv)

3

Aufgabe

Erklären Sie, wie „werden" bei Tucholsky und Brecht an den verschiedenen Stellen benutzt wird.

Reiner Kunze

Sechsjähriger

Er durchbohrte Spielzeugsoldaten mit Stecknadeln.
Er stößt sie ihnen in den Bauch, bis die Spitze aus dem Rücken tritt.
Er stößt sie ihnen in den Rücken, bis die Spitze aus der Brust tritt.
Sie fallen.
„Und warum gerade diese?"
„Das sind doch die andern."

Fragen

1. Was halten Sie von Kriegsspielzeug?
2. Sind Kinder so grausam wie Erwachsene?
3. Was oder wie erfahren Kinder in den Medien vom Krieg?
4. Wie kann man Kinder zum Haß auf den Feind erziehen?
5. Welche Folgen haben Kriegserlebnisse für Kinder?

*Kinder vor dem Mahnmal
für die Opfer des Faschismus
und Imperialismus in
Berlin (Ost).
Was fällt Ihnen zu dem Bild
ein?*

Diskussion: Aufrüstung – Abrüstung

Bilden Sie zwei Gruppen, und argumentieren Sie mit Hilfe der genannten Stichpunkte.

Argumente Gruppe 1:

a) Position der Stärke
b) Abschreckung
c) militärisches Gleichgewicht
d) böse gegnerische Pläne
e) rasche technologische Entwicklung
f) Raumfahrt
g) Fähigkeit zum zweiten Schlag
h) Systemerhaltung durch Militär
i) Sicherung der Arbeitsplätze
j) positive Außenhandelsbilanz durch Waffenexporte
k) friedliche Nutzung der Atomenergie

Argumente Gruppe 2:

a) Entspannung, Kriegsgefahr
b) Rüstungskosten
c) Rüstungswettlauf
d) Verschwendung von Rohstoffen und wissenschaftlichen Ressourcen
e) militärisch-industrieller Komplex
f) Dritte Welt, Hunger, Armut
g) nuklearer Overkill
h) Moral, Ethik
i) Weiterverbreitung von Atomwaffen
j) atomare Weltkatastrophe

Kurzreferat

Berichten Sie über militärische Probleme in Ihrem Land. Nehmen Sie zu folgenden Fragen Stellung:

1. Wehrpflicht
2. Wehrdienstverweigerung

3. äußere Bedrohung Ihres Landes
4. innere Sicherheit

Wie interpretieren Sie das Schaubild?

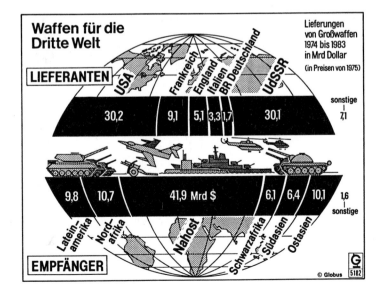

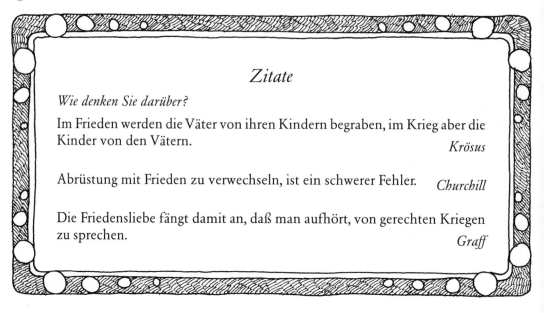

Zitate

Wie denken Sie darüber?

Im Frieden werden die Väter von ihren Kindern begraben, im Krieg aber die Kinder von den Vätern.

Krösus

Abrüstung mit Frieden zu verwechseln, ist ein schwerer Fehler. *Churchill*

Die Friedensliebe fängt damit an, daß man aufhört, von gerechten Kriegen zu sprechen.

Graff

Töten und sterben

Für diese beiden Verben kennt die deutsche Sprache viele Synonyme, die in verschiedenen sozialen Kontexten gebraucht werden.

1. Wie viele bedeutungsähnliche Wörter kennen Sie zu diesen Verben?
2. Welche werden in Todesanzeigen benutzt, welche verwendet man umgangssprachlich oder vulgär, welche im Zusammenhang mit dem Töten und Sterben von Tieren? (Benutzen Sie evtl. ein deutsches Synonymwörterbuch.)

Bertolt Brecht

Viele Arten zu töten

Es gibt viele Arten zu töten. Man kann einem ein Messer in den Bauch stechen, einem das Brot entziehen, einen von einer Krankheit nicht heilen, einen in eine schlechte Wohnung stecken, einen durch Arbeit zu Tode schinden, einen zum Selbstmord treiben, einen in den Krieg führen usw. Nur weniges davon ist in unserem Staate verboten.

(Aus: *Me-ti, Buch der Wendungen*)

Silbenrätsel

Wie heißt das Gegenteil?

die Abrüstung	_____	der Sieg	_____
der Angreifer	_____	die Zerstörung	_____
der Freund	_____	Frieden schließen	_____
der Held	_____	Widerstand leisten	_____
der Rückzug	_____		

FEIG · DER · GE · GER · REN · KRIEG · REN · AN · AUF · AUF · STUNG · TEI · LING · LIE · DI · NER · RÜ · VER · LA · KA · TU · GRIFF · NIE · KLÄ · PL · ER · BAU · GEG

Substantivierte Adjektive

	Singular	Plural
gefangen	*der Gefangene*	*die Gefangenen*
tot	_____	_____
vermißt	_____	_____
krank	_____	_____
schwach	_____	_____
verletzt	_____	_____
amputiert	_____	_____
verwundet	_____	_____
gefallen	_____	_____
fahnenflüchtig	_____	_____
wehrpflichtig	_____	_____
freiwillig	_____	_____

3

Merken Sie sich:

Nach den Pronomen *alle, diese, dieselben, diejenigen, irgendwelche, jene, keine, manche, solche* und *welche* wird die schwache Adjektivdeklination verwendet:

Nom.	all**e** Jugendlich**en**	kein**e** Jugendlich**en**	
Akk.	all**e** Jugendlich**en**	kein**e** Jugendlich**en**	
Dat.	all**en** Jugendlich**en**	kein**en** Jugendlich**en**	
Gen.	all**er** Jugendlich**en**	kein**er** Jugendlich**en**	

andere, einige, einzelne, etliche, mehrere, verschiedene, viele, wenige, zahllose, zahlreiche werden wie ein Adjektiv behandelt. Das folgende Adjektiv oder Partizip wird stark (parallel) dekliniert:

Nom.	viel**e** Jugendlich**e**	einig**e** Jugendlich**e**	
Akk.	viel**e** Jugendlich**e**	einig**e** Jugendlich**e**	
Dat.	viel**en** Jugendlich**en**	einig**en** Jugendlich**en**	
Gen.	viel**er** Jugendlich**er**	einig**er** Jugendlich**er**	

Ergänzen Sie:

1. Das Rote Kreuz kümmert sich um die Gefangen___.
2. All__ Verwundet___ kommen ins Lazarett.
3. Die Verletzt___ und Krank___ werden behandelt.
4. Den Gefallen___ wird vom General nachträglich ein Orden verliehen.
5. Ein Schiff wurde versenkt; es gab viele Ertrunken__ und Vermißt__.
6. All__ Angehörig__ der Verwundet___ und Gefallen___ wurden benachrichtigt.
7. Ein Geistlich___ tröstet die Hinterblieben___.
8. Der Kommandant dankt all___ Freiwillig___ und Wehrpflichtig___ für ihren Einsatz.
9. All__ Fahnenflüchtig__ sollen vor ein Kriegsgericht kommen.
10. Auch Jugendlich___ und Alt___ sollen eingezogen werden.

Merken Sie sich:

exceptions

Nach *beide, manche, sämtliche* ist die starke oder die schwache Adjektivdeklination möglich.

Substantivierte Adjektive

	Singular		Plural	
beamtet	ein	*Beamter*	viele	*Beamte*
angestellt	der	_____	manche	_____
intellektuell	ein	_____	alle	_____
verrückt	ein	_____	etliche	_____
bekannt	ein	_____	diese	_____
angehörig	eine	_____	keine	_____
verwandt	eine	_____	solche	_____
verlobt	die	_____	mehrere	_____
arbeitslos	ein	_____	einige	_____
abgeordnet	der	_____	wenige	_____
vorsitzend	ein	_____	jene	_____
reisend	der	_____	alle	_____
neugierig	ein	_____	etliche	_____
geistlich	der	_____	viele	_____

*Erzählen Sie die Bild-
geschichte!*

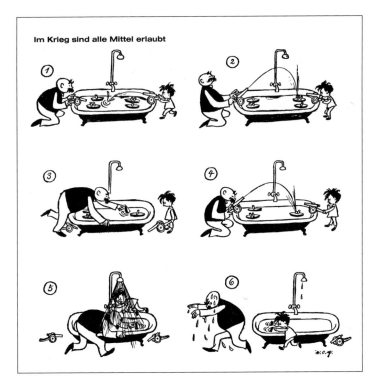

Im Krieg sind alle Mittel erlaubt

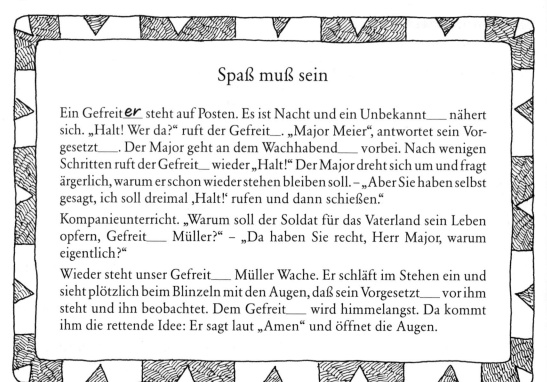

Spaß muß sein

Ein Gefreit*er* steht auf Posten. Es ist Nacht und ein Unbekannt___ nähert sich. „Halt! Wer da?" ruft der Gefreit___. „Major Meier", antwortet sein Vorgesetzt___. Der Major geht an dem Wachhabend___ vorbei. Nach wenigen Schritten ruft der Gefreit___ wieder „Halt!" Der Major dreht sich um und fragt ärgerlich, warum er schon wieder stehen bleiben soll. – „Aber Sie haben selbst gesagt, ich soll dreimal ‚Halt!' rufen und dann schießen."

Kompanieunterricht. „Warum soll der Soldat für das Vaterland sein Leben opfern, Gefreit___ Müller?" – „Da haben Sie recht, Herr Major, warum eigentlich?"

Wieder steht unser Gefreit___ Müller Wache. Er schläft im Stehen ein und sieht plötzlich beim Blinzeln mit den Augen, daß sein Vorgesetzt___ vor ihm steht und ihn beobachtet. Dem Gefreit___ wird himmelangst. Da kommt ihm die rettende Idee: Er sagt laut „Amen" und öffnet die Augen.

Freie Sprechübung

Geben Sie einen Kommentar dazu.

„Jeder Arbeitslose könnte doch heute eine Stelle finden."
Sie sagen dann z. B.:
    „Ich finde, den Arbeitslosen sollte man mehr helfen."
oder: „Immer diese Arbeitslosen!"
oder: „Ich möchte kein Arbeitsloser sein!"

1. Unsere Abgeordneten wollen mehr Diäten.
2. Meine Verwandten wollen immer große Geschenke.
3. Die Beamten wollen noch mehr Privilegien.
4. Alle Angestellten wollen mehr Freizeit.
5. Die meisten Streikenden wollen mehr Lohn.
6. Viele Hinterbliebene wollen nur erben.
7. Etliche Neugierige behindern die Rettungsarbeiten.
8. Manche fahren wie die Verrückten.

Freie Sprechübung

Stellen Sie eine Rückfrage.

Man sagt Ihnen, Sie hätten etwas von einem Verwandten geerbt.
Sie fragen dann z. B.: „Von welchem Verwandten denn?"
oder: „Wirklich? Das war ein Verwandter von mir?"
oder: „Wer war denn dieser Verwandte?"

Sie hören, ...

1. ein Bekannter möchte bei Ihnen übernachten.
2. ein Neuer wird Chef der Abteilung.
3. irgendein Fremder hat sich nach Ihnen erkundigt.
4. ein Verrückter hat Sie angerufen.
5. ein Verletzter wird ärztlich versorgt.
6. ein Gefangener wurde befreit.

Ergänzen Sie

1. In den Kriegen seit 1945 gab es mehr Tot__ als im Zweiten Weltkrieg.
2. Man kann nicht alle Deutsch____ für den Zweiten Weltkrieg verantwortlich machen.
3. Mein Bekannt____ gehört zu den viel____ Arbeitslos____.
4. Ein Verwandt____ von mir ist Vorsitzend____ einer Partei und Bundestagsabgeordnet____.
5. Meine Verlobt__ zählt juristisch zu meinen Verwandt____.
6. Manche Deutsch____ mögen Fremd__ nicht besonders, aber ich glaube, man kann nicht einzeln__ Deutsch__ in ihren Meinungen als typisch für die meisten Deutsch____ hinstellen.
7. All__ Beamt____ arbeiten im öffentlichen Dienst, aber auch viel__ Angestellt__ und etlich__ Arbeiter.
8. Der Streik wurde von mehrer____ Intellektuell____ organisiert.
9. Unter den Streikend____ sind viel__ Angestellt__ und Arbeiter, aber kein__ Beamt____.
10. Viel__ Jugendlich__ finden keine Stelle. Neue Gesetze ermöglichen den Älter____, ihren Arbeitsplatz früher aufzugeben.
11. Zu den sozialen Randgruppen zählen Strafgefangen__, Obdachlos__ und Behindert__, aber auch Drogensüchtig__ und Homosexuell__.

3
Verben mit dem Dativ

Stell dir vor, es ist Krieg und keiner geht hin...

absagen	Herr General, ich muß Ihnen leider absagen. *irony, as he's invited into the army*
angehören	Ich will keiner Armee angehören.
sich anpassen	Warum soll ich mich der Allgemeinheit anpassen?
ähnlich sehen	Das sieht mir ähnlich, sagen Sie. *that looks like me, that's just like me*
anschließen	Ich hätte mich dem Gegner angeschlossen. *– to join the enemy*
antworten	Was soll ich Ihnen da antworten?
ausweichen	Ihrer Frage will ich nicht ausweichen. *– avoid, to beg the question (physically also)*
begegnen	Der Tod ist mir noch nie begegnet. *– I've never yet met death*
behagen	Und der Gedanke daran behagt mir nicht recht. *I'm not comfor w/*
beipflichten	Sie können mir da nicht beipflichten? *= zustimmen*
beistehen	Ich soll meinem Vaterland in der Gefahr beistehen? *assist = helfen*
beistimmen	Den Politikern soll ich beistimmen? *= zustimmen*
belieben	Die tun ja doch, was ihnen beliebt. *was sie wollen*
bleiben	Und was bleibt mir da zu tun? *what remains for me to do?*
danken	Ich danke Ihnen für Ihr Angebot.
dienen	Wer nicht als Soldat dem Vaterland dient,
drohen	dem droht man mit harter Bestrafung. *– threaten*
entgehen	Ich möchte dem Wehrdienst entgehen. *get away from / to evade*
entkommen	Ich versuche, der Armee zu entkommen. *escape*
entrinnen	Wie kann man dem Wahnsinn entrinnen?
entsprechen	Ihre Helden entsprechen nicht meinem Ideal. *correspond to*
erwidern	Da erwidern Sie mir: *reply*
fehlen	Mir fehle nur Mut. *Meine Eltern fehlen mir – I miss my parents*
folgen	Doch ich folge meinem Gewissen.
gefallen	Das Leben gefällt mir zu sehr.
gehorchen	Ich gehorche keinem Führer. *– obey*
gehören	Mein Leben gehört doch nur mir.
gelingen	Es gelingt Ihnen nicht, mich zu überzeugen. *they don't succeed*
genügen	Mir genügen keine Parolen. *Slogans aren't enough for me.*
glauben	Ich glaube Ihnen kein Wort.
gleichen	Ihre Propaganda gleicht doch der des Feindes. *is the same as*
glücken	Sie sagen, ein Sieg ist Ihnen geglückt? *You succeed in achieving a victory?*
gratulieren	Ich gratuliere Ihnen nicht dazu.
helfen	Helfen mir Siege?
kommen	Mir kommen da Zweifel.
mißfallen	Mir mißfallen Ihre Siege. *≠ gefallen*
mißlingen	Die Täuschung wird Ihnen mißlingen. *≠ gelingen*
mißraten	Der Trick wird Ihnen mißraten. *You won't succeed w/ that trick*

mißtrauen	Denn das Volk mißtraut den Siegesmeldungen.
nachblicken	Traurig blickt man denen nach, die in den Krieg ziehen.
nacheifern	Ich will anderen Vorbildern nacheifern. *emulate, imitate*
nachlaufen	Und warum laufen Sie mir noch nach? *to run after*
nützen	Ich nütze Ihnen doch nichts.
passen	Mir paßt keine Uniform.
passieren	Was passiert mir, wenn ich verweigere?
raten	Sie raten mir zu schweigen?
schaden	Ich schade der Ehre des Volkes? *to harm, do damage to*
scheinen	Das scheint mir absurd.
schmecken	Mir schmeckt der Kriegsdienst nicht.
schmeicheln	Versuchen Sie nicht, mir zu schmeicheln. *flatter*
stehen	Der Stahlhelm steht mir einfach nicht. *doesn't suit me*
trauen	Ich traue auch keinem Uniformierten.
unterliegen	Sie unterliegen dem Befehl und nicht dem Gewissen. *subject to*
vergeben	Gott soll ihnen vergeben. *forgive*
weichen	Wir weichen nicht der Gewalt. *don't yield to violence/force*
widersetzen	Wir widersetzen uns Ihrem Befehl. *resist*
widersprechen	Wir widersprechen der Lüge. *contradict, oppose*
widerstehen	Wir widerstehen der Versuchung. *withstand*
widerstreben	Uns widerstrebt das Hurrageschrei. *is repugnant to us*
zuhören	Wir hören Ihren Rednern nicht zu.
zuschauen	Wir schauen auch den Paraden nicht zu.
zustehen	Sie meinen, mir stehe da kein Urteil zu? *not entitled to*
zustimmen	Ich stimme Ihnen nicht zu, Herr General!

Bilden Sie Sätze mit einigen Verben. – Oder: Schreiben Sie eine Geschichte, und benutzen Sie dabei möglichst viele dieser Verben. Unterstreichen Sie dann den Dativ.

Wie hätten Sie entschieden?

1. Das schleswig-holsteinische Landessozialgericht mußte über den folgenden Fall entscheiden: Eine arbeitslose Sekretärin hatte vom Arbeitsamt eine Stelle in einer Firma zugewiesen bekommen, die u. a. auch Kriegswaffen herstellt. Die Sekretärin weigerte sich, die *refused* Stelle anzunehmen, da sie Pazifistin sei. Daraufhin forderte das Arbeitsamt das bereits gezahlte Arbeitslosengeld zurück. Die Sekretärin berief sich auf ihr Gewissen und verklagte das Arbeitsamt. Wie entschieden die Richter?

2. Sechs Mitarbeiter einer Berliner Stiftung für Friedens- und Konfliktforschung wollten einen Teil ihrer Steuern nicht mehr dem Staat zukommen lassen. Sie verklagten ihren Arbeitgeber und verlangten, er solle 20% der Lohnsteuer (denn der Rüstungshaushalt beträgt etwa 20% des Steueraufkommens) auf ein anderes Konto einzahlen. Dieser Betrag sollte für einen humanitären Zweck bestimmt sein. Wie entschied das Arbeitsgericht?

*Vergleichen Sie die Bilder
aus Nürnberg.*

Wandsprüche

Rührei zum Frühstück, sagt Plato, ist besser als die ganze NATO.

Wie kommt's, daß am Ende des Geldes noch so viel Monat übrig ist?

Auch Arme haben Beine.

Keine Macht für niemand!

Lieber arbeitslose Heere als Arbeitslosenheere!

Lieber fünf Minuten lang feige als ein ganzes Leben tot!

Wer von der Brücke fällt, der fällt unangenehm auf!

Ein festes Fundament ist die solide Basis einer guten Grundlage.

Lieber rot als tot.

Fahrradfahrer aller Länder vereinigt euch! Ihr habt nichts zu verlieren außer
euren Ketten!

Heute schon gelebt?

Freiheit für alle! Weg mit der Schwerkraft!

Meine Eltern sagen, sie wollen nur mein Bestes. Aber das kriegen sie nicht!

3

Neue Vokabeln

Nomen	Plural	Verben	Adjektive

der _____ – ____

der _____ – ____

der _____ – ____

der _____ – ____

der _____ – ____

der _____ – ____

der _____ – ____

der _____ – ____

der _____ – ____

der _____ – ____

Sonstiges

die _____ – ____

die _____ – ____

die _____ – ____

die _____ – ____

die _____ – ____

die _____ – ____

die _____ – ____

die _____ – ____

die _____ – ____

die _____ – ____

die _____ – ____

Redewendungen

das _____ – ____

das _____ – ____

das _____ – ____

das _____ – ____

das _____ – ____

das _____ – ____

das _____ – ____

das _____ – ____

das _____ – ____

das _____ – ____

das _____ – ____

Naturwissenschaft und Technik

Grammatik: *je – desto, Adjektive mit Akkusativ, Trennbare und untrennbare Verben*

Schreiben Sie die Zahlen aus

Wenn Sie in Deutschland einen Scheck ausfüllen, müssen Sie die DM-Beträge ausschreiben. Wie schreibt man...

7   *sieben* _____
12 _____
37 _____
26 _____
16 _____
66 _____
777 _____
636 _____
101 _____
6543 _____

Lesen Sie laut

1,01 DM; 16,17 DM; 27,76 DM; 666,77 DM; 989 DM; 1,50 m; 112 kg; 3736 km; 86 m²; 4278 $; 28,4%; §§ 199-206; 654 321; 750 g; 16 mm; 37,5 sec; 14.35 Uhr; 69,09 DM; −10 Grad; 23.15 Uhr; 4711; 1/2; 1/5; 2/3; 1/10; 3/4; 1/20; 29/30; 32 m²; 0,896 cm; 57 836; 42.662; 1.234.567.890

Hören und verstehen

Hören Sie dieselben Zahlen von der Cassette, und versuchen Sie, diese zu notieren. Vergleichen Sie anschließend.

Fragen

Antworten Sie mit einem Satz.

1. Wie groß sind Sie?
2. Was glauben Sie, wie hoch die Lebenserwartung bei Frauen und Männern in Deutschland ist?
3. Wie viele Kilo möchten Sie wiegen?
4. In welcher Zeit laufen Sie 100 m?
5. Wie groß ist Ihre Wohnung?
6. Was versteht man unter Zimmertemperatur?
7. Wie viele Sekunden hat eine Stunde?
8. Ab welcher Körpertemperatur hat man Fieber?
9. Wie schnell darf man in einer deutschen Ortschaft fahren?
10. Wann endete der Zweite Weltkrieg?
11. Wann gefriert Wasser?
12. Wann haben Sie Geburtstag?
13. Bitte das Geburtsjahr Ihres Vaters!
14. Wann ist Heiligabend?
15. Wie hoch können Sie springen?
16. Ihre Telefonnummer mit Vorwahl, bitte.
17. Wieviel sind 3 Dutzend Eier?

4

Merken Sie sich:

+	−	×	:
addieren zuzählen zu	subtrahieren von abziehen von	multiplizieren mit malnehmen mit	dividieren durch teilen durch
plus und	minus weniger	multipliziert mit mal	dividiert durch geteilt durch
die Summe die Addition	die Differenz die Subtraktion	das Produkt die Multiplikation	der Quotient die Division

verdoppeln ⟷ halbieren das Doppelte ⟷ die Hälfte hoch ⟷ Wurzel aus	$3^2 = 3$ hoch 2; 3 zum Quadrat $\sqrt{2} =$ Wurzel aus 2

Setzen Sie die Präposition ein

zu   durch   mit   von

Um 10 zu erhalten, kann man

6 _____ 4 zuzählen.   5 _____ 2 malnehmen.   20 _____ 2 dividieren.

5 _____ 15 abziehen.   50 _____ 5 teilen.   2 _____ 5 multiplizieren.

Hören und verstehen

Schreiben Sie auf, was Sie hören.

Lesen und verstehen

1. Schreiben Sie die ersten drei Buchstaben des Alphabets.
2. Schreiben Sie ein zweisilbiges Wort.
3. Schreiben Sie eine vierstellige Zahl.
4. Schreiben Sie römisch vier.
5. Schreiben Sie die arabischen Ziffern von 0 bis 5.
6. Schreiben Sie eine Dezimalzahl.
7. Schreiben Sie einen Bruch.
8. Wie beginnt das lateinische Alphabet?
9. Wie beginnt das griechische Alphabet?
10. Schreiben Sie eine gerade und eine ungerade Zahl.
11. Schreiben Sie das Jahr 33 vor Christi Geburt.

Denksportaufgabe

Wie kann man am schnellsten alle Zahlen von 1 bis 100 addieren?

Synonyme

In der Umgangssprache vermeidet man die lateinischen Wörter. Übersetzen Sie bitte ins Deutsche:

1. Ich subtrahiere vier von sieben.
2. Man muß drei mit vier multiplizieren.
3. Addieren Sie zwölf und zehn.
4. Dividieren Sie zehn durch fünf.

5. Zehn minus drei gleich sieben.
6. Acht multipliziert mit fünf ergibt vierzig.
7. Neun dividiert durch drei ist drei.
8. Sechs plus drei macht neun.

Spiel   Gedanken lesen

Denken Sie sich eine Zahl. Nehmen Sie das Doppelte. Zählen Sie 10 dazu. Teilen Sie durch 2. Ziehen Sie die gedachte Zahl ab. Nun haben Sie alle dasselbe Ergebnis, nämlich fünf. Habe ich also Ihre gedachte Zahl erraten?

Lesen Sie die fehlenden Rechenzeichen mit

3	3	=	9		16	8	=	2	8	2	4	=	0
1	2	=	3	3	3	3	=	6	1	1	1	=	1
9	7	=	2										

Hören und verstehen

Schreiben Sie nur das Ergebnis auf.

Vokabeltest

Wie heißen die Artikel, wie heißen die Plurale?

die Klammer   *Klammern* _____

____ Vorzeichen _____

____ Faktor _____

____ Produkt _____

____ Zahl _____

____ Ziffer _____

____ Nummer _____

____ Ergebnis _____

____ Teil _____

____ Bruch _____

____ Hälfte _____

____ Drittel _____

____ Viertel _____

____ Differenz _____

____ Summe _____

____ Betrag _____

4

_____ Lösung	_____	_____ Rechnung	_____
_____ Aufgabe	_____	_____ Beispiel	_____
_____ Zähler	_____	_____ Bruchstrich	_____
_____ Nenner	_____	_____ Probe	_____

Nehmen Sie sich bitte fünf Minuten Zeit, und wiederholen Sie diese Vokabeln.

Tonbandübung

Hören Sie noch einmal dieselben Nomen von der Cassette, und ergänzen Sie den Artikel und die Pluralbildung!

Technik und Fortschritt

Der Einsatz von Technik hatte schon im Altertum zur Folge, daß mit den wenigen zur Verfügung stehenden Mitteln ganz erstaunliche Werke entstanden, wie Pyramiden, Wasserleitungen, Straßen und Kanäle. Seit der industriellen Revolution, die vor etwa 200 Jahren in England *ihren Anfang nahm*, kamen immer mehr technische Innovationen zum Durchbruch. Der Technisierungsprozeß, der damals in Gang kam, ist bis heute nicht zum Stillstand gekommen. Wenn wir den Futurologen *Glauben schenken* wollen, dann stehen wir am Anfang einer Epoche, die uns hoffnungsvolle, aber auch beängstigende Perspektiven in Aussicht stellt.

Technik wird meist mit Fortschritt *in Verbindung gebracht*. Wer sich die positiven Wirkungen der Technik vor Augen führt, kommt vielleicht zu dem Schluß, daß mit ihrer Hilfe ein alter Traum der Menschheit *in Erfüllung gehen* wird: die Befreiung von schwerer körperlicher Arbeit, von Hungersnöten und Epidemien. Der Einsatz der Technik hat uns zweifellos einen hohen Lebensstandard gebracht, den niemand in Frage stellen will und für den wir gern manchen Nachteil in Kauf nehmen. Besonders die Kommunikations- und Transporttechnik bringt uns große Erleichterungen. Ebenso wenig sollte man die Vorteile der vielen Reise- und Bildungsmöglichkeiten außer acht lassen.

Dennoch stößt der optimistische Fortschrittsglaube zunehmend auf Kritik. Moderne Computer-, Kern- und Gentechnik wird in Verbindung gebracht mit Überwachung, Kontrolle und Manipulation. Im Gegensatz zur Technik haben sich nämlich die Moral, das Verantwortungsbewußtsein und die Ethik kaum weiterentwickelt. So fallen der Rüstungstechnologie täglich viele Menschen zum Opfer. Und ein Ende des Rüstungswettlaufs ist nicht in Sicht, solange

*Kinderarbeit im 19. Jahr-
hundert*

*Fertigungskontrolle am Bild-
schirm*

*Alternatives Leben auf dem
Lande*

4

die Regierenden nicht *zur Einsicht kommen*, daß allein durch einen waffentechnischen Vorsprung nur der Krieg sicherer wird.

Die Menschen *geraten* mehr und mehr *in Abhängigkeit* von komplizierten technischen Systemen, die sie nicht wirklich verstehen. Alte lebenswichtige Fähigkeiten des Menschen sind in Vergessenheit geraten. Wer wäre heute noch selbst in der Lage, seine Schuhe zu reparieren, ein Brot zu backen, Wein, Käse oder Wurst herzustellen oder ein einfaches Haus zu bauen?

Die zunehmende Entfremdung vom natürlichen Leben *steht in Zusammenhang* mit der Spezialisierung und Arbeitsteilung. Wer glaubt, daß damit alles besser würde, der *ist im Irrtum*. Fließbandarbeit, Streß, Tempo und Leistungsdruck kommen zur Sprache, wenn die modernen Arbeitsbedingungen *zur Diskussion stehen*.

Die Verwirklichung der technischen Möglichkeiten steht nicht immer im Einklang mit den Bedürfnissen des Menschen. Medizinische Apparate in den Krankenhäusern verlängern oft unter hohen Kosten das Leiden eines Menschen, das ohne aufwendige Technik längst zu Ende gegangen wäre. Menschliche Wärme und Zuwendung *ist* sicher *von größerer Bedeutung* als unpersönliche Technik. Es ist aber nicht immer leicht, *eine Entscheidung* zu *treffen*, wann technische Mittel sinnlos werden.

Der Einsatz von moderner Technik gefährdet nicht nur Arbeitsplätze, sondern auch unsere natürliche Umwelt. Wir sind im Begriff, die Rohstoff- und Energiereserven auf Kosten unserer Kinder auszubeuten. Viele Umweltsünder werden nicht zur Rechenschaft gezogen, obwohl entsprechende Gesetze längst in Kraft sind, die die Umweltverschmutzung *unter Strafe stellen*. Nicht nur alternative Wissenschaftler sind deshalb *zur Überzeugung gekommen*, daß wir von unserem bisherigen Wachstumsdenken Abschied nehmen müssen.

Zieht man Bilanz, kommt man zum Ergebnis, daß Technik weder gut noch böse ist, aber ihren Preis hat. Viele Länder der Dritten Welt *geben sich Mühe*, durch moderne Technik zu einem gewissen Wohlstand zu kommen, wobei mögliche Opfer außer Betracht bleiben. Sie laufen dabei Gefahr, in wirtschaftliche Abhängigkeit zu den Staaten zu geraten, die ihnen eigentlich *zu Hilfe kommen* sollten. Die unkritische Übernahme von Technik *steht* oft *im Widerspruch* zur eigenen Tradition und hat möglicherweise den Verlust des kulturellen Erbes und der eigenen Identität zur Konsequenz.

Die meisten Staaten stehen jedoch unter dem Druck des internationalen Wettbewerbs. So auch die Bundesrepublik. Sie steht als ein Land mit starkem Technologieexport in Konkurrenz zu anderen Industriestaaten und bemüht sich, nicht in technologischen Rückstand zu geraten.

Fragen zum Text

1. Warum bewundern wir noch heute die Bauwerke des Altertums?

2. Welche Erfindungen halten Sie für bedeutend, und warum?

3. Welche Fortschritte bringt uns die Forschung und Technik in der Medizin?

4. Welche Erleichterungen bringen Kommunikations- und Transporttechnik?

5. Wie könnte eine alternative Lebensweise aussehen? Gibt es einen Weg zurück zur Natur? Würden Sie gern ein solches Leben führen?

6. Schafft die Technik humanere Arbeitsplätze? Geben Sie Beispiele!

7. Gibt es in Ihrem Land Beispiele für positive oder negative Folgen moderner Großtechnik?

4

Funktionsverbgefüge

I. Wie kann man die kursiv gedruckten Stellen im Text vereinfachen?

II. Finden Sie die entsprechenden Funktionsverben. Nehmen Sie evtl. den Text zu Hilfe:

führen – nehmen – lassen – bringen – stoßen – fallen – sein – geraten – gehen – ziehen – haben – bleiben – laufen

zur Folge	*haben*	im Begriff	_____
vor Augen	_____	zur Rechenschaft	_____
in Kauf	_____	in Kraft	_____
außer acht	_____	Abschied	_____
in Verbindung	_____	Bilanz	_____
auf Kritik	_____	seinen Preis	_____
zum Opfer	_____	außer Betracht	_____
in Sicht	_____	Gefahr	_____
in Vergessenheit	_____	zur Konsequenz	_____
in der Lage	_____	in Rückstand	_____
zu Ende	_____		

III. Wie heißen die fehlenden Präpositionen? Vergleichen Sie mit dem Text:

zum	Durchbruch	kommen	_____	Verfügung	stehen
_____	Gang	kommen	_____	Anfang	stehen
_____	Stillstand	kommen	_____	Einklang	stehen
_____	Schluß	kommen	_____	Druck	stehen
_____	Sprache	kommen	_____	Aussicht	stellen
_____	Ergebnis	kommen	_____	Frage	stellen
_____	Wohlstand	kommen			

Nur für Mathematiker

Setzen Sie ein:

Dezimalzahl – Wurzel – Produkt – dividiert – multipliziert – Differenz – Bruch – Nenner – gleich – kürzen – hoch – Vorzeichen

1. Ein _____ läßt sich in Faktoren zerlegen.

2. Das Ergebnis einer Subtraktion nennt man _____.

3. Vier mal neun _____ sechsunddreißig.

4. Neun _____ zwei gleich einundachtzig.

5. _____ aus fünfundzwanzig gleich fünf.

6. Ein _____ wird mit einem Bruch multipliziert, in dem man Zähler mit Zähler und Nenner mit _____ multipliziert.

7. Ein Bruch wird durch einen Bruch _____, indem man mit dem Kehrwert _____.

8. Einen Bruch kann man in eine _____-_____ verwandeln.

9. Man kann einen Bruch _____, indem man Zähler und Nenner durch den gemeinsamen Faktor dividiert.

10. Man löst eine Klammer mit negativem _____ auf, indem man die Vorzeichen in der Klammer umkehrt.

Nur für Mathematiker

Schreiben Sie ein Diktat.

1. a plus b in Klammern zum Quadrat gleich a Quadrat plus 2 ab plus b Quadrat.

2. 3 a minus eckige Klammer auf 2 b minus runde Klammer auf 6 a plus 4 runde Klammer zu minus 3 b eckige Klammer zu.

3. Zwei Drittel multipliziert mit ein halb gleich zwei Sechstel.

4. Dritte Wurzel aus 27 gleich drei.

5. a verhält sich zu b wie c zu d.

6. a Quadrat plus b Quadrat gleich c Quadrat.

Wie können Sie folgendes beschreiben?

1. ein Quadrat   2. ein Rechteck   3. einen Kreis   4. einen Würfel   5. ein Parallelogramm

Benutzen Sie dabei diese Vokabelhilfen:

> gleich lang, größer als, kleiner als, die Seite, der Winkel, rechteckig, die Seitenlänge, parallel, die Fläche, der Körper, der Mittelpunkt, der Radius

Zahl – Ziffer – Nummer?

Setzen Sie das passende Wort ein.

1. Ich habe leider meine Zimmer*nummer* im Hotel verwechselt.

2. Eine achtstellige Zahl hat 8 _____.

3. Denken Sie sich eine _____ zwischen 1 und 10.

4. Mein Bankkonto hat die _____ 97 629 992.

5. In einer klaren Nacht sieht man eine große _____ von Sternen am Himmel.

6. Es gibt 10 arabische _____.

7. Wie war gleich Ihre Telefon_____?

8. Eine niedrige Schüler_____ in der Klasse ist eine gute Voraussetzung, schnell Deutsch zu lernen.

4

Redewendungen

Was bedeutet...?

vom Hundertsten ins Tausendste kommen

einmal ist keinmal

doppelt hält besser

aller guten Dinge sind drei

in Null Komma nichts

unter vier Augen

null Bock haben

jetzt schlägt's dreizehn

auf einem Bein kann man nicht stehen

Vokabeltest

Setzen Sie ein:

> Widerstand – Metern – Stunden – Druck – Volumen – Leistung – Grad – Temperatur – Geschwindigkeit – Kubikmetern

1. Die _____ wird in Grad gemessen.

2. In _____ werden auch Winkel ausgedrückt.

3. Die Länge mißt man z.B. in _____.

4. Die Zeit drückt man z.B. in _____ aus.

5. Der Rauminhalt wird auch als das _____- _____ bezeichnet und in _____- _____ gemessen.

6. In bar (oder Pascal) mißt man den _____.

7. Die _____ wird in km/h ausgedrückt.

8. Die Stromstärke hängt von der Spannung und vom _____ ab.

9. Die _____ hängt von der Arbeit und der Zeit ab.

Kleine Leseübung für Techniker: Die Daten eines PKWs

Hubraum	1281 cm^3	Höchstgeschwindigkeit	147 km/h
Max. Leistung	44 kW (60PS)	max. Bergsteigefähigkeit	52,5%
Batteriespannung	12 V	Anhängelast	600 kg
Drehstromlichtmaschine	45 A	Füllmenge Kraftstofftank	42 l
Kraftstoffverbrauch nach DIN 70030		8,2 l/100 km	

Rechenexempel

Je mehr Schüler der geburtenstarken Jahrgänge Abitur machten, desto mehr Probleme kamen auf die Universitäten zu. Denn je mehr Studenten die Hörsäle füllten, desto weniger Platz, Lehrpersonal und Laborplätze gab es für sie. Und je mehr Studenten Medizin, Zahnmedizin und andere naturwissenschaftliche Studienrichtungen einschlagen wollten, umso höher stiegen die Anforderungen an den Abiturnotendurchschnitt, den ein Student haben mußte, um Biologie, Chemie, Medizin oder Physik studieren zu können (Numerus clausus). Denn je besser der Notendurchschnitt ist, umso größer sind heute die Chancen, einen Studienplatz zu bekommen.

Also: Je besser die Schulnoten, desto höher der Intelligenzquotient? Je mehr intelligente Medizinstudenten, desto mehr.tüchtige Ärzte? Und je mehr Ärzte, desto weniger Kranke? Und je weniger kranke Schüler, desto mehr Abiturienten, die wiederum Medizin studieren wollen?

Bilden Sie Sätze

> *Beispiele:*
> *Je mehr* Grad, *desto höher* die Temperatur.
> *Je mehr* Grad, *umso größer* der Winkel.

1. Quadratmeter – Fläche   2. Kilometer pro Stunde – Geschwindigkeit   3. Volt – Spannung
4. Ampere – Stromstärke   5. Meter – Länge   6. Lichtjahre – Entfernung   7. Kubikmeter – Rauminhalt

Vokabeltest

die Chemie	der Chemiker	chemisch
die Physik		
		biologisch
	der Musiker	
		medizinisch
die Geographie		
		astronomisch
	der Philosoph	
		ökonomisch
	der Mathematiker	
die Technik		

4

Bilden Sie Sätze mit „je...desto/umso"

Benutzen Sie z. B.: höher, mehr, größer, stärker, niedriger, kleiner, länger, dichter, besser, kürzer, geringer, schwächer, weniger, schlechter.

1. Arbeitsplätze – Arbeitslose
2. Autos – Verkehr
3. Radius – Umfang
4. Geschwindigkeit – Bremsweg
5. Temperatur – Heizkosten
6. Inflation – Preise
7. Wohnlage – Miete
8. Zeit – Geld
9. Ärzte – medizinische Versorgung
10. Studenten – Akademiker
11. Trockenheit – Ernte
12. deutsche Grammatik – langweiliger Unterricht

Wie heißen die Nomen?

(sich) erhöhen   *die Erhöhung* _____

zunehmen _____

(an)steigen _____

(sich) verstärken _____

(sich) vergrößern _____

(sich) vermehren _____

(sich) steigern _____

(ab)fallen _____

(sich) verringern _____

(sich) verkleinern _____

(sich) vermindern _____

(sich) abschwächen _____

abnehmen _____

(sich) senken _____

(ab)sinken _____

Welche Verben fehlen?

1. Im Sommer *steigen* die Temperaturen, im Winter _____ sie.

2. Die Inflation ist zu hoch. Wir müssen die Ausgaben _____.

3. Der Trend zur Arbeitslosigkeit _____ sich glücklicherweise ab.

4. Die Verkehrsdichte in den Städten _____ weiter zu.

5. Durch meine Diät habe ich in zwei Wochen fünf Kilo _____-
_____.

6. Die Wüstengebiete auf der Erde _____ sich
erschreckend.

7. Nicht alle Tierarten _____ sich in den Zoos.

8. Das Wetter wird besser: die Bewölkung _____
schon ab.

9. Mit der Lupe kannst du das Kleingedruckte _____
und besser lesen.

**Was ist der Unter-
schied zwischen...**

*„steigern" und „steigen",
„senken" und „sinken"?
Geben Sie Beispiele.*

**Wie heißt das
Gegenteil?**

das Absinken   *das Ansteigen* _____

die Abnahme   _____

die Vergrößerung   _____

die Vermehrung   _____

die Abschwächung   _____

**Bilden Sie einen
neuen Satz**

Beispiel:	Die Sportler steigern die Leistungen. Die Leistungen der Sportler steigern sich.
oder:	Die Leistungen der Sportler steigen.

1. Der Staat senkt das Einkommen der Beamten.

2. Der Hausbesitzer erhöht die Miete.

3. Man vermindert die Zahl der Wochenarbeitsstunden.

4. Der Sicherheitsgurt verringert die Zahl der Verkehrstoten.

5. Bestimmte Tatsachen verstärken den Verdacht des Kommissars.

6. Wir verkleinern den Bestand unseres Lagers.

7. Diese neue Maschine steigert die Produktion um 40%.

4

Bilden Sie Sätze mit „je ... desto"

| *Beispiel:* | Bei Erhöhung der Motorleistung steigt der Benzinverbrauch. |
| | *Je höher* die Motorleistung, *desto höher* der Benzinverbrauch. |

1. Bei Verringerung der Reibung erhöht sich die Geschwindigkeit.

2. Bei Erhöhung des Widerstands vermindert sich die Stromstärke.

3. Bei Vergrößerung des Fotos vermindert sich die Schärfe.

4. Bei Gewichtsabnahme verringert sich das Infarktrisiko.

5. Bei Anstieg der Temperatur nimmt das Volumen zu.

6. Bei schneller Vermehrung der Menschheit nimmt der Hunger zu.

Ursache und Wirkung:
Warum? Weshalb? Weswegen? Wieso? Aus welchem Grund?

Benutzen Sie diese Redemittel:

X ist die Ursache von Y
X verursacht Y
X ruft Y hervor
X bewirkt Y
X läßt Y entstehen

1. Warum gibt es Erdbeben?
   (Erschütterung – Spannung – Erdkruste – einstürzen)

2. Wieso kommt es zu einem Vulkanausbruch?
   (Druck – Explosion – glühende Lava – Gase – Krater – Rauch)

3. Weswegen gibt es Jahreszeiten?
   (Stellung der Erde – Achse – Umlaufbahn – Sonne – Winkel – Zeitabschnitt – Sonnenstrahlen)

4. Weshalb kann ein Ballon fliegen?
   (Helium – Wasserstoff – Leichtgas – füllen – Hülle – verdrängen – Luftmenge – Auftrieb)

5. Aus welchem Grund schneit, regnet oder hagelt es?
   (Eiskristall – sechseckig – Flocken – gefrieren – Frost – Verdunstung – Niederschlag – kondensieren – Wasserdampf – sich bilden – Eiskörner)

6. Warum gibt es Ebbe und Flut?
   (Gezeiten – Anziehungskraft – Sonne und Mond – Schwankung – Meeresspiegel – Höhenunterschied)

7. Wieso gibt es eine Sonnenfinsternis?
   (Himmelserscheinung – verdecken – Erdoberfläche – Mond – Sonne – Umlaufbahn)

Beschreiben Sie das Atommodell

(der Atomkern – die Hülle –
die Protonen – die Neutro-
nen – die Elektronen – um-
kreisen – bestehen aus)

Silbenrätsel

BER – BER – EI – ER – FEL – FER – KUP – QUECK – SAU – SCHWE – SEN – SER – SIL – SIL –
STICK – STOFF – STOFF – STOFF – WAS

*Finden Sie die deutschen
Bezeichnungen für...*

O	Oxygenium	_____
N	Nitrogenium	_____
S	Sulfur	_____
Fe	Ferrum	_____
H	Hydrogenium	_____
Cu	Cuprum	_____
Ag	Argentum	_____
Hg	Hydrargyrum	_____

4

Materialien

Woraus besteht...?

1. eine Mauer	a) das Aluminium
2. ein Spiegel	b) das Holz
3. ein Karton	c) die Wolle
4. eine Konservendose	d) der Stahl
5. ein Rennrad	e) der Gummi
6. ein Schrank	f) das Gold
7. eine Handtasche	g) der Beton
8. ein Pullover	h) der Kunststoff
9. eine Hose	i) das Blech
10. ein Halstuch	j) das Eisen
11. ein krummer Nagel	k) die Pappe
12. eine Autoachse	l) die Baumwolle
13. ein Ehering	m) das Glas
14. ein Autoreifen	n) das Leder
15. eine Steckdose	o) die Seide
16. ein Briefbogen	p) das Papier

Finden Sie Unterbegriffe

Welche Materialien gehören wozu?

Treibstoffe *Benzin, Super, Diesel*

Metalle _____

Gase _____

Rohstoffe _____

Aggregatzustände

fest – flüssig – gasförmig – gefrieren – verdunsten – verdampfen

Bei 20° C ist Wasser _____, und es _____.

Bei 0° C wird Wasser _____, und es _____.

Bei 100° C ist Wasser _____, und es _____.

Denksportaufgabe

1. Was ist mehr wert: 1 kg 20 $-Goldstücke oder 2 kg 10 $-Goldstücke?

2. Bei einem Haus zeigen alle 4 Wände nach Süden. Draußen läuft ein Bär vorbei. Welche Farbe hat dieser Bär?

3. In meiner Schublade liegen 6 weiße und 6 schwarze Socken. Wie oft muß ich – ohne hinzusehen – in die Schublade greifen, bis ich mit Sicherheit ein gleichfarbiges Paar gefunden habe?

Wie heißt das Gegenteil?

krumm – rund – spitz – steil – hohl – stumpf – dünn

1. Das Messer ist nicht scharf, sondern _____.

2. Die Nadel ist nicht stumpf, sondern _____.

3. Das Gefälle ist nicht flach, sondern _____.

4. Ein Kreis ist nicht eckig, sondern _____.

5. Das Kabel ist nicht dick, sondern _____.

6. Die Wand ist nicht massiv, sondern _____.

7. Der Nagel ist nicht gerade, sondern _____.

Finden Sie die richtige Reihenfolge

1. kühl – mild – heiß – lauwarm – eiskalt – warm – kalt
2. feucht – trocken – schwül – naß
3. gleich – später – demnächst – nie – bald – sofort – jetzt
4. oft – selten – öfters – manchmal – niemals – immer

Ideen sammeln

Schreiben Sie auf ein Blatt Papier einen zentralen Begriff: z. B. „Weltraum", „Energie", „Kommunikation", „Umwelt", „Maschine", „Computer". Die Papiere werden weitergereicht. Alle anderen schreiben Wörter dazu, die mit dem Thema in Verbindung gebracht werden können.
Heften Sie die Papiere an die Tafel. Versuchen Sie, die Zusammenhänge zu finden.

Unbekanntes Flugobjekt (UFO)

Lesen Sie die folgenden Berichte laut. Achten Sie darauf, ob das Präfix oder der Stamm des Verbs betont wird.

„Man hatte uns in kleinen Kabinen untergebracht. Wir wollten mit der Fähre zur Insel übersetzen, und ich überbrückte die Langeweile damit, einen französischen Zeitungsartikel durchzuarbeiten und ihn zu übersetzen. Dabei überfiel mich eine starke Müdigkeit, und ich konnte ein dauerndes Gähnen nicht unterdrücken. Außerdem wurde mir etwas übel.

Ich überlegte, was ich tun könnte und beschloß, mich etwas an Deck zu unterhalten. Also wollte ich mich rasch umziehen und durchwühlte meinen Koffer, um mir eine Krawatte umzubinden.

Kaum an Deck angekommen, da umhüllte mich ein so starkes Licht, daß es mich fast umwarf. Ohne zu übertreiben: dieser Glanz, der mich dort umgab, überstieg alle Vorstellungen. Ich hatte keine Zeit zu überlegen. In panischer Angst dachte ich nur, du mußt überleben, du darfst hier nicht umkommen. Ich hatte das Gefühl, mich übergeben zu müssen, und wollte in die Kabine umkehren, kam aber nicht von der Stelle.

Als ich mich noch einmal umdrehte, überflog lautlos ein seltsames Objekt das Meer, wendete dann um, durchquerte eine Wolke und tauchte am Horizont unter.

Niemand glaubte mir. Ich sei überanstrengt, übermüdet oder überarbeitet gewesen. Man wolle mir nichts unterstellen, aber vielleicht sollte ich doch mal mein Erlebnis mit einem Psychiater durchsprechen. Und ich sollte es auch unterlassen, weiter bestimmte Bücher über Science-fiction durchzulesen."

„Es passierte im Urlaub. Als die Sonne schon unterging, wollten wir eine Autofahrt unternehmen und dann auf dem Land übernachten. Der Verkehr wurde umgeleitet, und meine Frau übersah ein Hinweisschild. Ich sagte, wir haben uns verfahren; sie sollte umdrehen. Es war ja schon spät, wir würden sonst in keinem Hotel mehr unterkommen. Dann übernahm ich das Steuer, aber sie konnte nicht mit den Straßenkarten umgehen. Wir kamen in eine einsame Gegend. Das Wetter überraschte uns. Es schlug ganz plötzlich um, und nun umgab uns dichter Nebel. Fast hätten wir auch noch ein Reh überfahren.

Auf einmal stand vor uns auf der Straße ein merkwürdiges Fahrzeug, etwa einen Meter hoch, oval. Ich konnte nicht überholen, stieg aus und wollte fragen, ob man uns nicht durchlassen könnte. Da überstürzten sich die Ereignisse…"

Aufgaben

1. Erzählen Sie die zweite Geschichte schriftlich zu Ende. Oder:

2. Wir erzählen die Geschichte gemeinsam weiter. Der Reihe nach sagt jeder nur einen Satz.

3. Haben Sie schon einmal einen Bericht über ein UFO in der Zeitung gelesen? Wie wurde das UFO beschrieben?

4. Gibt es Ihrer Meinung nach weitere intelligente Lebewesen im Weltall? Was würde passieren, wenn ein Kontakt zustande käme?

5. Stellen Sie sich vor: Ein Flugkapitän meldet einen Beinahe-Zusammenstoß mit einem unbekannten Flugobjekt. Er berichtet von dem Aussehen, der Größe, der Geschwindigkeit, seinem Kurs, der Uhrzeit, der Position und von seinen weiteren Absichten.

Bilden Sie das Passiv mit untrennbaren Verben
(Partizip ohne – ge –)

> *Beispiel:* die Unterstreichung des Satzes
> Der Satz *wird unterstrichen.*

1. die Übersetzung der Rede 2. die Überbrückung der Schlucht 3. der Überfall auf die Bank
4. die Übergabe des Lösegeldes 5. die Unterdrückung des Volkes 6. die Übertreibung der
Geschichte 7. die Durchquerung der Wüste 8. der Überblick über die Situation 9. die
Überweisung des Geldbetrages

Bilden Sie Sätze im Perfekt mit trennbaren Verben
(Partizip mit – ge –)

> *Beispiel:* die Unterbringung im Hotel
> Man *hat* ihn im Hotel *untergebracht.*

1. die Umkehr aus der Sackgasse 2. der Untergang des Römischen Reiches 3. die Über-
einstimmung der Ansichten 4. das Überhandnehmen der Kriminalität 5. der Umtausch
der Ware 6. die Durchführung der Kontrolle 7. die Unterordnung unter seine Autorität

Was paßt zusammen?
Bilden Sie Sätze.

unterbrechen	Garten
unterkommen	Geiseln
untergehen	Instrumente
unterstellen	Weltrekord
untersagen	Silvester
unterstreichen	Gepäck
überlaufen	Pläne
übersehen	Prüfung
übertreffen	Bratwürste
überwachen	Intercity
umbringen	Suppe
umgraben	Feind
umrühren	Fehler
umsteigen	Bedeutung
umwenden	Schuld am Unfall
durchfallen	Betreten der Baustelle
durchkreuzen	Sonne
durchsuchen	Radiosendung
durchmachen	billige Pension

4

Trennbar oder untrennbar?

I. Markieren Sie, wo die Betonung der Verben liegt. Dann wissen Sie, ob das Verb trennbar ist oder nicht.

1. unterbringen, unterbrechen, untergehen, unterkommen, sich unterordnen, untersagen, sich unterstellen, jemand etwas unterstellen, unterstreichen, untertauchen

2. sich überanstrengen, überblicken, übereilen, übereinstimmen mit, überhandnehmen, überlaufen, übersiedeln, überweisen, übertreffen, überwachen, überzeugen

3. umbringen, umfassen, umgraben, umkehren, umkommen, umrühren, umzingeln, umtauschen, sich umsehen, umrahmen, umsteigen, umgeben, umhüllen, umwenden

4. durchfallen, durchführen, durchhalten, durchkreuzen, durchgreifen, durchlesen, durchqueren, durchsuchen, durchstreichen, durchwühlen, durchmachen

II. Bilden Sie mit einigen dieser Verben Sätze, die so beginnen:

Ich habe (keine) Lust, ...

Ich habe (nicht) vor (die Absicht), ...

Ich brauche nicht ...

Er hat versprochen, ...

Er hat angefangen, ...

Ich schlage vor, ...

Es ist möglich (nötig, schwierig), ...

Er scheint ...

Redemittel

Zustand	und	Entwicklung
X heißt Y		X ergibt Y
X wird Y genannt		X wird in Y verwandelt
X bezeichnet man als Y		X entwickelt sich zu Y
bei X spricht man von Y		X verwandelt sich zu Y
X ist als Y definiert		aus X entsteht Y
X wird als Y bezeichnet		X geht in Y über

Zustand oder Entwicklung

Bilden Sie nach obenstehenden Beispielen Sätze.

Beispiele: Hydrargyrum *wird* Quecksilber *genannt.*
Wasser *verwandelt sich* bei 0 Grad Celsius *zu* Eis.

1. Oxygenium – Sauerstoff
2. Wasser – 100 Grad Celsius – Wasserdampf
3. Leistung – Arbeit/Zeit
4. Fester Körper – Festkörper

5. Neon, Helium, Krypton – Edelgase

6. Reibung – Wärme

7. Kohle – Kohlekraftwerk – Elektrizität

8. Dieselmotor, Ottomotor – Verbrennungsmotoren

9. Silber, Gold – Edelmetalle

Vervollständigen Sie die Reihe

Wie heißt die nächste Zahl? Warum?

3, 6, 9, …

18, 14, 10 …

2, 4, 8, …

16, 8, 24, 12, 36, …

81, 64, 49, 36, 25, …

Denksportaufgabe

Nehmen wir einmal an, Sie fliegen mit einer Rakete mit fünfzigfacher Lichtgeschwindigkeit von der Erde weg in den Weltraum. Nach einem Jahr nehmen Sie ein tolles Superfernrohr und schauen auf die Erde zurück. Dort sehen Sie, wie gerade der Zweite Weltkrieg ausgetragen wird – oder nicht?

An welche Zahl denken Sie? Warum?

ein Kilo	Großstadt	die Erdteile	Zugspitze
Erster Weltkrieg	Silvester	Zimmertemperatur	Mittwoch
Geburtstag	Neujahr	Alphabet	Februar
kochendes Wasser	Kolumbus	politische Parteien	Sterne
Bundesländer	Fußballmannschaft	Kleinbildfilm	Wiedervereinigung

Adjektiv + Akkusativ

I. Wie heißen die Nomen?

alt	*das Alter*	lang	
breit		schwer	
dick		stark	
groß		weit	
hoch		entfernt	

4

II. Formen Sie die Sätze um. Benutzen Sie den Akkusativ bei Adjektiven mit Angaben des Maßes oder der Zeit.

> *Beispiel:* Das Band hat eine Breite von einem Zentimeter.
> Das Band ist ein*en* Zentimeter breit.

1. Der Baum hat das Alter von einem halben Jahrtausend.
2. Die Wolken haben eine Höhe von einem Kilometer.
3. Der Felsbrocken hat ein Gewicht von einer Tonne.
4. Der Stern hat eine Entfernung von etwa einem Lichtjahr.
5. Die Fenster haben die Breite von einem Meter.
6. Das Brett hat eine Tiefe von 1 cm.
7. Das Blech hat die Stärke von 1 mm.

Fragen zum technischen Fortschritt

1. Mit Hilfe der Biochemie und der Gehirnchirurgie wird man bald in der Lage sein, neue Menschen zu züchten. Was halten Sie davon? Welche veränderten Eigenschaften sollte dieser gezüchtete „neue" Mensch haben?
2. Meine Freundin geht mit der Technik. Sie möchte ein Bildtelefon haben. Ich finde das blödsinnig.
3. Demnächst wird man die Möglichkeit haben, Deutsch mit dem Mikrocomputer zu lernen. Er kann Wörter sprechen, verstehen und sie korrigieren. Wie denken Sie darüber? Werden die Deutschlehrer dann arbeitslos?
4. Man sollte aus Gründen der Sparsamkeit erst neue Atombomben bauen, wenn die alten verbraucht sind.

Neue Vokabeln

Nomen	Plural	Verben	Adjektive

der _____ – ____

der _____ – ____

der _____ – ____

der _____ – ____

der _____ – ____

der _____ – ____

der _____ – ____

der _____ – ____

der _____ – ____

der _____ – ____

Sonstiges

die _____ – ____

die _____ – ____

die _____ – ____

die _____ – ____

die _____ – ____

die _____ – ____

die _____ – ____

die _____ – ____

die _____ – ____

die _____ – ____

die _____ – ____

Redewendungen

das _____ – ____

das _____ – ____

das _____ – ____

das _____ – ____

das _____ – ____

das _____ – ____

das _____ – ____

das _____ – ____

das _____ – ____

das _____ – ____

das _____ – ____

5
Aus der Welt der Wirtschaft

Grammatik: *Wortbildung, Präpositionen, Passiv*

Ende des Wachstums?

1   Aber woher soll Wachstum noch kommen? Die wirtschaftswissenschaftlichen Institute meinen damit ja nicht hier und da mal ein Prozent Zuwachs des Bruttosozialprodukts. Um Vollbeschäftigung zu erreichen, müßte Westdeutschlands Wirtschaft Jahr für Jahr um sechs Prozent wachsen.

5   Die Gründe dafür sind ganz simpel. Zumindest der vom Arbeitsplatzrisiko betroffene kleine Mann versteht sie sofort. Er nämlich kann das Ende des wilden Wachstums im eigenen Haushalt ablesen: Dort finden sich Kühlschrank, Waschmaschine, Automobil, Küchenmaschinen, Fernsehapparat, alles schön nacheinander angeschafft. Jeder einzelne Gegenstand steht für jeweils einen neuen Wachstumsschub der Volks-

10   wirtschaft, dem regelmäßig der nächste gefolgt war.
Aber seit einigen Jahren sieht der kleine Mann auf dem Konsumgütermarkt nicht mehr viel Neues, was er unbedingt kaufen müßte. Die großen Märkte der Konsumgüter, folgt daraus, sind gesättigt, und attraktives Neues gibt es kaum.

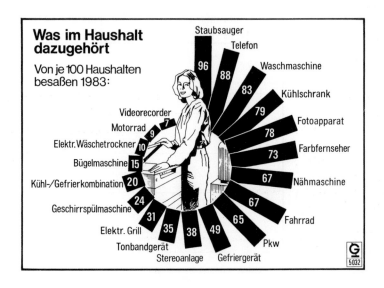

Die Neigung zu Stagnation und Kaufenthaltung verstärkte sich durch den seit 1973 auf
15 das Mehrfache gestiegenen Energiepreis. Ein Teil der sonst am Binnenmarkt wirken-
den Kaufkraft floß in nahöstliche Ölländer ab.
Zunehmende Marktsättigung und das Ende der billigen Energie, die stets als Wachs-
tumsdroge gewirkt hatte, waren in den siebziger Jahren aufeinandergetroffen. Zwei
wesentliche Daten für die wirtschaftliche Expansion wurden dadurch fundamental
20 verändert. Wirtschaftliche Expansion konnte in solcher Lage allenfalls durch wach-
sende Bevölkerung, große Exportgeschäfte oder dramatische technische Durchbrüche,
auch Innovationen genannt, geschehen.
Seit der Flüchtlingsstrom verebbt und der Babyboom vorbei ist, seit auch die Gastarbeiter nicht mehr in Scharen zuwandern, seither wächst die Bevölkerung nicht mehr wie
25 früher. Ein tiefer Fall des Mark-Kurses sorgte 1981 zwar noch einmal für einen kräftigen
Exportboom. Deutsche Waren wurden durch die billige Mark draußen überaus preis-
günstig. Aber die weltweite Flaute, wie die Zahlungsnöte vieler Länder der Dritten Welt
und des Ostblocks, lassen nun auch die Aufträge aus dem Ausland schrumpfen.
Die großen Innovationen schließlich gibt es allenfalls in der Mikroelektronik. Sie wie-
30 derum bringt zwar moderne Technik, doch sie vernichtet Arbeitsplätze. Ohne neue
Märkte, ohne neue Verbraucherkaufkraft und ohne Innovationen aber gibt es auch
keine jobschaffenden Investitionen.
Ähnlich steht es beim Staat. Die klassischen Investitionen in Schulen, Krankenhäuser
und Verkehrswege sind vollzogen. Zusätzliche Einrichtungen über den Bedarf hinaus
35 können zwar für den Augenblick Arbeit schaffen, verursachen aber bis in alle Ewigkeit
sinnlose Unterhaltskosten, die aus dem Staatshaushalt zu decken sind.
Zweifel sind deshalb erlaubt, ob es irgendwo in der industriellen Welt noch jene Wachs-
tumsreserven gibt, die von Professoren und Politikern vermutet werden.

(Aus: *Der Spiegel* vom 18.10.82, gekürzt)

Fragen zum Text

1. Was versteht man unter „Bruttosozial-
produkt"? (Z. 2/3)
(Wert – Gesamtheit – produzierte Güter –
Dienstleistungen – Land – ein Jahr)

2. Wer ist der „kleine Mann"? (Z. 6)

3. Welche Faktoren sind nach Meinung des
Autors für wirtschaftliche Expansion von
Bedeutung? (Z. 17 – 22)

4. Nennen Sie positive und negative Auswir-
kungen der Mikroelektronik. (Z. 29 – 30)

5. Wie kann der Staat Arbeitsplätze schaffen? (Z. 33 – 36)

6. Gibt es Grenzen des Wachstums?

5

Wortbildung

I. Umschreiben Sie die Bedeutung dieser Wörter:

die Vollbeschäftigung *die Beschäftigung für alle Arbeitnehmer*

der Fernsehapparat _____ zum _____

der Konsumgütermarkt _____ für die _____

der Autokauf _____ eines _____

der Energiepreis _____ für _____

die Ölländer _____, in denen _____

die Exportgeschäfte _____ im _____

der Flüchtlingsstrom _____ von _____

der Babyboom _____ an _____

der Staatshaushalt _____ des _____

die Unterhaltskosten _____ für _____

II. Bilden Sie einen Begriff.

eine Prognose für die Konjunktur — *die Konjunkturprognose*

die Lage der Wirtschaft _____

die Suche nach einer Stelle _____

die Karte, die zum Scheck gehört _____

das Recht auf Streik _____

die Prüfung zum Meister _____

der Bund der Gewerkschaften _____

der Anteil des Arbeitgebers _____

ein Gebiet mit viel Industrie _____

die Versorgung mit Energie _____

die Herstellung in Massen _____

die Steuer auf den Lohn _____

das Muster einer Ware _____

die Bedingungen für eine Zahlung _____

die Versicherung für Kranke _____

die Kosten für den Transport _____

Wachstum um jeden Preis?

Setzen Sie die Präposition ein

an – auf – auf – auf – in – mit – nach – um – um – von – zum

1. Ich möchte mich _____ diese Stelle bewerben.

2. Nach der Pause machen wir uns wieder _____ die Arbeit.

3. Die Gewerkschaften rufen _____ Streik auf.

4. Die Beamten streiken nicht, sie machen Dienst _____ Vorschrift.

5. Jeder Mensch sollte ein Recht _____ Arbeit haben.

6. Mein Auto habe ich _____ Raten gekauft.

7. Ich möchte 250 DM _____ meinem Sparkonto abheben und sie _____ mein Girokonto einzahlen.

8. Mein Geld habe ich _____ Wertpapieren angelegt.

9. Die Preise steigen in diesem Jahr _____ 3%.

10. Eine GmbH ist eine Gesellschaft _____ beschränkter Haftung.

5

Synonyme

Welche Ausdrücke sind bedeutungsähnlich?

1. der Lehrling	a) das Werk
2. die Kündigung	b) der Direktor
3. die Stelle	c) das Abkommen
4. die Belegschaft	d) der Auszubildende
5. die Führungskraft	e) die Entlassung
6. die Vereinbarung	f) der Arbeitsplatz
7. die Fabrik	g) der leitende Angestellte
8. der Chef	h) das Personal

Häufige Abkürzungen

Was bedeuten ...?

GmbH	G_ _el_s_h_ft _it _es_hrä_ _ter _ _ftu_g
OHG	Off_ne H_nd_ _sg_ _ellsc_aft
KG	K_mm_nditg_s_llsch_ft
AG	_kt_ _ng_s_l_s_h_ft
DM	_ _ut_ _ _e M_ _k
Abt.	A_ _ei_ung
e. V.	ein_ _trag_n_r _ere_n
FDGB	Fr_ _er De_ts_ _er Gew_r_ _cha_tsbu_d
HO	H_ndels_rg_nis_tion
v. H.	von H_ _dert
i. A.	im _uf_rag
Kto.	_ _nto
BLZ	_ _nklei_z_hl
DGB	D_u_s_h_r _ewe_ksch_ftsb_nd
DAG	D_ _t_che Ang_st_llt_ngew_rksch_ft
DBB	_eut_ch_ _ B_amt_nb_nd
IG	Ind_stri_g_w_rk_chaft
ÖTV	Gewe_ks_ _aft f_r Öff_n_lich_ Di_nste, Tr_nsp_rt und V_rkeh_

Berufe raten

1. *Suchen Sie sich einen der nebenstehenden Berufe aus. Lassen Sie ihn von den anderen erraten. Sie selbst dürfen nur mit „ja" oder „nein" antworten. Sie haben gewonnen, wenn Sie zehn Fragen mit „nein" beantworten mußten.*

2. *Oder: Zwei Personen bekommen einen Zettel mit einer Berufsbezeichnung auf den Rücken geheftet. Beide kennen den Beruf des anderen und müssen durch geschicktes gegenseitiges Fragen den eigenen herausfinden. Geantwortet wird nur mit „ja" oder „nein".*

Fragen

1. Nennen Sie Berufe, die Ihrer Meinung nach nur für Männer oder nur für Frauen geeignet sind.
2. Was wäre Ihr Traumberuf?
3. Welche Berufe wünschen sich Kinder, und warum?
4. Ging es einem bundesdeutschen Facharbeiter 1983 besser oder schlechter als zehn Jahre zuvor?
5. Wie hat sich die wirtschaftliche Lage in Ihrem Land in den letzten zehn Jahren entwickelt?

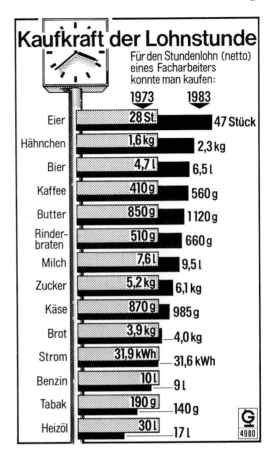

Kaufkraft der Lohnstunde

Für den Stundenlohn (netto) eines Facharbeiters konnte man kaufen:

	1973	1983
Eier	28 St.	47 Stück
Hähnchen	1,6 kg	2,3 kg
Bier	4,7 l	6,5 l
Kaffee	410 g	560 g
Butter	850 g	1120 g
Rinderbraten	510 g	660 g
Milch	7,6 l	9,5 l
Zucker	5,2 kg	6,1 kg
Käse	870 g	985 g
Brot	3,9 kg	4,0 kg
Strom	31,9 kWh	31,6 kWh
Benzin	10 l	9 l
Tabak	190 g	140 g
Heizöl	30 l	17 l

Berufe

Architekt	Gärtner	Krankenschwester	Schriftsteller
Arzt	Gepäckträger	Künstler	Schneider
Automechaniker	Glaser	Landwirt	Seemann
Bäcker	Goldschmied	Lehrer	Sekretärin
Bankier	Hebamme	Makler	Sozialarbeiter
Bergmann	Heilgymnastin	Maurer	Spediteur
Bibliothekar	Hotelbesitzer	Metzger	Staatsanwalt
Bierbrauer	Imker	Musiker	Stewardess
Blumenhändler	Ingenieur	Näherin	Tankwart
Buchdrucker	Journalist	Notar	Tierarzt
Buchhalter	Juwelier	Opernsänger	Uhrmacher
Dachdecker	Kassierer	Pförtner	Verkäufer
Dolmetscher	Kellner	Pilot	Verleger
Elektriker	Kindergärtnerin	Rechtsanwalt	Vertreter
Fahrer	Klempner	Richter	Viehzüchter
Fahrschullehrer	Koch	Schauspieler	Winzer
Feuerwehrmann	Konditor	Schlosser	Zahnarzt
Friseuse	Kosmetikerin	Schornsteinfeger	Zollbeamter

5

Definitionen

Erklären Sie einige der genannten Berufe. Bilden Sie Relativsätze.

> *Beispiele:* Ein Viehzüchter ist jemand, *der* Vieh züchtet.
> Ein Winzer ist ein Mann, ...
> usw.

Vokabeltest

die Ware	herstellen	die Herstellung	der Hersteller
_ _ _ Er_e_ _n_s	erzeugen	_ _ _ E_z_ _gu_g	der Er_ _ _ _ _ _r
das Produkt	p_o_ _z_ _r_n	die Pr_ _ _kt_ _n	_ _ _ Pr_ _uze_t
_ _ _ F_ _ _ik_t	fab_ _z_ _ _ _en	die Fabrikation	der Fa_ _ik_nt

Synonyme

Welche Ausdrücke sind bedeutungsähnlich? Wie heißen die Artikel?

> Einkommen – Zuwachs – Flaute – Zusammenschluß – Firma – Absprache – Konsum –
> Arbeitnehmer – Besitz – Waren

das Eigentum   *der* _____

_____ Fusion   _____

_____ Verbrauch   _____

_____ Erwerbstätige   _____

_____ Güter   _____

_____ Einkünfte   _____

_____ Rezession   _____

_____ Wachstum   _____

_____ Unternehmen   _____

_____ Kartell   _____

Fragen

1. Was könnte man einem Ausländer in der Bundesrepublik empfehlen, der in plötzliche finanzielle Schwierigkeiten kommt?

2. Können Sie sich Staaten vorstellen, in denen Geld nicht existiert?

3. Möchten Sie in einem Land leben, in dem jedermann gleich viel verdient?

Zitate

Geld stinkt nicht.

Sueton

Ohne Geld
ist die Ehre nur eine Krankheit.

Racine

Alle Menschen in der Welt
streben nur nach Gut und Geld;
und wenn sie es dann erwerben,
legen sie sich hin und sterben.

Mittelalterlicher Spruch

Geld mag Glück nicht
kaufen können, aber du kannst
damit in Bequemlichkeit
unglücklich sein.

Michael Arlen

Situative Sprechübungen

Reagieren Sie spontan!

1. Ein Fremder bittet Sie auf der Straße, ihm 10 DM zu leihen.
2. Ihr 14jähriger Sohn hat ohne Ihr Wissen ein Rennrad auf Raten gekauft.
3. Ihre Nachbarin hat ein Portemonnaie mit 50 DM vor Ihrer Haustür gefunden.
4. Ihre Tochter will in den Ferien ihr Taschengeld aufbessern und Zeitungen austragen.
5. Die Verkäuferin an der Kasse hat Ihnen versehentlich 17 Pfennig zu wenig herausgegeben.
6. Sie haben bei einer Wette 100 DM verloren.
7. Ihr Freund hat vergessen, Ihnen einen geliehenen Geldbetrag zurückzugeben.
8. Sie wollen einen Kredit von Ihrer Bank. Man fragt Sie nach Sicherheiten.
9. Der Kollege hat im Lotto gewonnen.

Wie heißen die Verben?

der Rückgang	*zurückgehen*	der Anstieg	
die Abnahme		die Erhöhung	
die Verringerung		die Zunahme	
die Verkleinerung		das Anwachsen	
der Fall		die Vermehrung	
das Sinken		die Vergrößerung	

5

Statistik, Schaubild, Grafik, Tabelle: Interpretation

Monatszahlen	1983 Juli	1984 Juni	1984 Juli
Produzierendes Gewerbe:			
Pkw-Produktion (in 1000 St.)	199	39*)	240
Industrieumsatz (Mill. DM)	99 168	102 858	–
Arbeitslose	2 202 223	2 112 596	2 202 179
Einfuhr (Mill. DM)	31 018	34 141	36 470
Ausfuhr (Mill. DM)	33 182	35 413	39 459
Saldo-Handelsbilanz (Mill. DM)	+ 2 164	+ 1 272	+ 2 980
Lebenshaltungskosten (Gesamtindex) (1980 = 100)	115,8	118,6	118,4
Spareinlagenbestand insgesamt (Mill. DM)	527 162	548 360	–
Quelle: Stat. Bundesamt *) Streikmonat			

Bilden Sie Sätze nach diesem Muster:

Aus der Tabelle geht hervor, daß die Pkw-Produktion gestiegen ist.

Aus der	Statistik	geht hervor, daß ...
Der	Grafik	ist zu entnehmen, daß ...
Die	Tabelle	zeigt, daß ...
		läßt erkennen, daß ...

Berichten Sie auch, welche Tendenzen Ihnen aus Ihrem Land bekannt sind.

1. Arbeitslosenzahl
2. Pkw-Produktion
3. Ausfuhr (Export)
4. Einfuhr (Import)
5. Lebenshaltungskosten
6. Spareinlagen

a) gleich bleiben
b) sich erhöhen
c) sinken
d) zunehmen
e) (an)steigen
f) (an)wachsen
g) sich vergrößern
h) fallen
i) sich verringern
j) abnehmen
k) zurückgehen

Zeugnisse

In der Bundesrepublik darf kein Arbeitgeber einem Arbeitnehmer ein schlechtes Zeugnis ausstellen. So entwickeln sich bei manchen Personalchefs Geheimcodes, die nicht jeder entschlüsseln kann. Vielleicht können Sie zwischen den Zeilen lesen?

Welche Beurteilungen bedeuten die folgenden Aussagen?

Aussagen

c 1. Er hat die ihm übertragenen Arbeiten stets zu unserer vollsten Zufriedenheit erledigt.

b 2. Er hat die ihm übertragenen Arbeiten zu unserer Zufriedenheit erledigt.

a 3. Er hat sich bemüht, die ihm übertragenen Arbeiten zu erledigen.

f 4. Mit all seinen Vorgesetzten ist er immer auffallend gut zurechtgekommen.

i 5. Er hat einen eigenen Kopf bewiesen.

h 6. Er wußte sich gut zu verkaufen.

d 7. Durch seine Geselligkeit trug er zum Betriebsklima bei.

g 8. Für die Belange der Kolleginnen besaß er umfassendes Einfühlungsvermögen.

e 9. Er hat alle ihm übertragenen Arbeiten ordnungsgemäß und den Anweisungen entsprechend erledigt.

Beurteilungen

a) schlechter Mitarbeiter
b) mittelmäßiger Mitarbeiter
c) sehr guter Mitarbeiter
d) neigt zu übertriebenem Alkoholkonsum
e) ist ein Bürokrat ohne Eigeninitiative

f) ist ein Opportunist, der sich gut anpaßt
g) belästigt das weibliche Personal
h) will sich bei jeder Gelegenheit profilieren
i) ist rechthaberisch und will sich immer durchsetzen

5

Finden Sie den Oberbegriff

Welcher Begriff hat die weiteste Bedeutung?

1. die Gewerkschaften, die Arbeitgeberverbände, die Tarifpartner
2. das Wohngeld, die Sozialleistung, die Altersversorgung, das Arbeitslosengeld
3. die Überweisung, das Konto, der Kredit, der Scheck, das Bankwesen
4. die Rezession, die Talsohle, das Wachstum, die Konjunktur, die Depression, der Aufschwung
5. die Mieten, die Investitionen, die Löhne, die Gehälter, die Steuern, die Betriebsunkosten
6. die Werbung, das Plakat, die Annonce, die Anzeige, das Inserat
7. die Aussperrung, der Dienst nach Vorschrift, der Arbeitskampf, der wilde Streik, der Bummelstreik

Was stimmt?

1. Wer ist ein Arbeitgeber?
   a) ein Arbeiter
   b) ein Angestellter
   c) ein Beamter
   d) eine Behörde

2. Ein Arbeitsverhältnis wird durch _____

   _____ beendet.
   a) die Einstellung
   b) die Kündigung
   c) die Entlohnung
   d) die Fortsetzung

3. Was ist falsch?
   a) Ein Hausbesitzer kassiert die Miete, ein Student erhält ein Stipendium.
   b) Ein Soldat bekommt einen Sold, ein Matrose eine Heuer.
   c) Ein Arbeiter bekommt ein Gehalt, ein Angestellter einen Lohn.
   d) Ein Arzt erwartet ein Honorar, ein Rentner seine Rente.

4. Der Gewerkschaftsbund der DDR ist
   a) der Deutsche Gewerkschaftsbund (DGB).
   b) die Deutsche Angestellten-Gewerkschaft (DAG).
   c) der Deutsche Beamtenbund (DBB).
   d) der Freie Deutsche Gewerkschaftsbund (FDGB).

5. Die Arbeiter fordern höhere Löhne, weil ihre Firma
   a) pleite ist.
   b) bankrott ist.
   c) Konkurs angemeldet hat.
   d) hohe Renditen erzielt hat.

6. Es gibt drei Arbeitsschichten. Welche gibt es nicht?
   a) die Tagschicht
   b) die Nachtschicht
   c) die Frühschicht
   d) die Spätschicht

7. Das schärfste Kampfmittel der Unternehmer im Arbeitskampf ist
   a) der Streik.
   b) der Kündigungsschutz.
   c) die Aussperrung.
   d) die Lohnfortzahlung.

8. Fließbandarbeiter arbeiten im Akkord. Das heißt,
   a) sie verstehen sich gut untereinander.
   b) sie haben mit dem Chef einen Vertrag geschlossen.
   c) sie werden nach der produzierten Stückzahl bezahlt.
   d) sie sind mit der Arbeit einverstanden.

9. Welche dieser Wörter finden Sie nur im Plural?
   a) die Preise, die Firmen, die Geschäfte, die Verhandlungen
   b) die Streiks, die Löhne, die Gehälter, die Zahlungen
   c) die Einkünfte, die Spesen, die Kosten, die Finanzen
   d) die Vereinbarungen, die Abkommen, die Verträge

Inflation

Es war einmal ein kleines Land, in dem die Menschen gut leben konnten, genug zu essen hatten, schöne Kleidung und große Häuser besaßen. Einige waren aber immer noch nicht zufrieden, denn die Bedürfnisse waren größer als der Bedarf. Sie beteten zu ihrem Gott, er möge sie doch reicher machen. So ließ er einmal statt Regentropfen Geldscheine regnen. Die Menschen des Landes sammelten eifrig die Geldscheine auf, prüften die Echtheit und waren zunächst überglücklich, daß sie nun die doppelte Geldmenge besaßen...

1. Erzählen Sie das Märchen zu Ende.
2. Wie kann man eine Inflation bekämpfen?
3. Gibt es das Problem der Inflation in Ihrem Land? Was sind die Folgen?

Hören und verstehen

I. Hören Sie die Cassette. Was sagen die Leute?

II. Welche Argumente lassen sich für oder gegen das deutsche Ladenschlußgesetz finden?

Erklären Sie die Bedeutungen.

„Man müßte viel mehr Bewegung haben, aber leider sind heute am Sonntag die Kaufhäuser geschlossen."

Zitate

Eine Hand wäscht die andere.

Sprichwort

Handwerk hat goldenen Boden.

Sprichwort

Iß mit deinem Freund, aber mach keine Geschäfte mit ihm.

Aus Armenien

Der Kaufmann hat in der ganzen Welt dieselbe Religion.

Heinrich Heine

5

Das Passiv

I. Bilden Sie einige Sätze nach diesem Muster:

> *Beispiele:* Brief – Man kann einen Brief schreiben.
> – Ein Brief *wird geschrieben.*
>
> Nadel – Man kann mit der Nadel nähen.
> – Mit der Nadel *wird genäht.*

Zwiebel	Wasser	Museum	Haare	Frage	Weihnachtsbaum
Auto	Gewehr	Streichholz	Luftballon	Fenster	Gemüse
Baby	Stein	Bikini	Foto	Lösung	Fremdsprache
Zahn	Besteck	Hut	Blumen	Weinglas	Hundertmarkschein
Haus	Kohle	Ofen	Fleisch	Hausaufgaben	Geburtstag
Party	Scheck	Fehler	Berg	Pralinen	Geschwindigkeit
Geld	Maus	Chef	Rätsel	Tisch	Lied
Radio	Bild	Pferd	Paket	Ausstellung	Streik
Besucher	Schüler	Fußball	Halstuch	Wohnung	Schwein
Knopf	Zigarre				

Merken Sie sich:

	Aktiv und	*Passiv*
Präsens:	Man liest die Post.	Die Post **wird gelesen.**
Präteritum:	Man las die Post.	Die Post **wurde gelesen.**
Perfekt:	Man hat die Post gelesen.	Die Post **ist gelesen worden.**

II. Bilden Sie Sätze im Präsens, Präteritum und Perfekt Passiv.

1. Man schreibt die Rechnungen.
2. Man schickt die Kündigung ab.
3. Der Chef beobachtet seine Mitarbeiter.
4. Die Sekretärin bestellt die Waren.
5. Die Spedition liefert alle Produkte.
6. Der Vertreter wirbt den Kunden.

Wie heißen die Verben?

die Pensionierung _pensionieren_   die Beendigung _____

die Entlassung _____   der Hinauswurf _____

die Abdankung _____   der Rausschmiß _____

die Absetzung _____   die Kündigung _____

Lesen Sie laut

Ihm ist gekündigt worden.
Er ist in den Ruhestand versetzt worden.
Er ist entlassen worden.
Er ist seines Amtes enthoben worden.
Ihm sind seine Papiere gegeben worden.

Drücken Sie das Gegenteil aus

> _Beispiel:_
> Er hat gekündigt.
> Im Gegenteil, ihm _ist gekündigt worden._

1. Er tritt in den Ruhestand.
2. Er reicht seine Entlassung ein.
3. Er legt sein Amt nieder.
4. Er bittet um seine Papiere.

„Wenn Sie den Strich jetzt nach unten ziehen, sind Sie entlassen!"

Bilden Sie das Passiv

> _Beispiel:_   Ich lasse mir nicht kündigen. Da kündige ich lieber selbst.
> Bevor ich _gekündigt werde_, kündige ich selbst (selber).

1. Ich lasse mich nicht pensionieren. Ich beantrage selbst die Pensionierung.

2. Ich lasse mich doch nicht rausschmeißen! Ich gehe schon von selbst. Ein Saftladen ist das!

3. Mich wird man nicht entlassen. Ich reiche nämlich selbst die Entlassung ein.

4. Der Parteivorsitzende ließ sich nicht seines Amtes entheben. Er stellte selbst sein Amt zur Verfügung.

5. Ich lasse mich nicht in den Ruhestand versetzen. Ich gehe freiwillig.

6. Ich lasse mich doch nicht feuern! Da hänge ich den Job doch gleich selbst an den Nagel.

7. Der General ließ sich nicht verabschieden. Er reichte selbst seinen Abschied ein.

8. Ich lasse mich nicht absetzen. Ich danke lieber selbst ab.

Bewerbungsbrief

Jean-Claude Petit
14, avenue Alsace-Lorraine
F-38oo Grenoble   Grenoble, den 2o.6.1985

DAAD - Deutscher Akademischer
Austauschdienst
Kennedyallee 5o

53oo Bonn - Bad Godesberg

Bewerbung um ein Stipendium

Sehr geehrte Damen und Herren,

hiermit möchte ich mich bei Ihnen um ein Stipendium für ein Studium in
der Bundesrepublik bewerben.

Ich studiere im 5. Semester Betriebswirtschaft und habe bereits mein
Grundstudium in Frankreich erfolgreich abgeschlossen.

Ich verfüge über gute Deutschkenntnisse. Am Goethe-Institut in Mannheim
habe ich an einem Mittelstufenkurs teilgenommen. Außerdem habe ich bei
der Firma Siemens im Sommer letzten Jahres ein zweimonatiges Praktikum
absolviert.

Da ich meinen zukünftigen Studiengang rechtzeitig planen möchte, würde
ich mich über eine baldige Antwort sehr freuen.

Mit freundlichen Grüßen

J.C. Petit

Anlagen   Lebenslauf, Zeugniskopien, Bewerbungsformulare

Kündigung

Der Personalchef Ihrer Firma will Sie entlassen. Er schreibt, Sie seien ihm schon mehrmals unangenehm aufgefallen. Was steht in dem Kündigungsschreiben?

Die Argumente sind natürlich unwahr oder rechtfertigen keine Kündigung. Schreiben Sie ihm einen Brief, und protestieren Sie gegen Ihre ungerechtfertigte Entlassung.

Sprechübungen: Schon erledigt

Hören Sie zwei Sprechübungen von der Cassette.

Bilden Sie das Passiv

Benutzen Sie dieselben Zeiten.

1. Die Bundesrepublik exportiert Investitionsgüter in alle Welt.
2. Das industrielle Wachstum der Bundesrepublik nach dem Zweiten Weltkrieg bezeichnete man als Wirtschaftswunder.
3. Man wird wohl auch zukünftig die Automobilindustrie als ein Konjunkturbarometer betrachten.
4. Zu den größten Chemieunternehmen zählt man Hoechst, Bayer und BASF.
5. Man hat nach der Einführung der EDV vielen Mitarbeitern gekündigt.
6. Im Grundgesetz hatte man die Freiheit der privaten Initiative und das Privateigentum garantiert.
7. Der Ölpreisschock traf nicht nur die deutsche Wirtschaft.
8. Die Preise an den Tankstellen wird man sicher in Zukunft mehr beachten.
9. Die öffentliche Hand unterstützt die Bauwirtschaft mit Aufträgen.

5

Vergleichen Sie

VERFASSUNG DER DDR:
ART. 14, 1

Privatwirtschaftliche Vereinigungen zur Begründung wirtschaftlicher Macht sind nicht gestattet.

GRUNDGESETZ FÜR DIE
BUNDESREPUBLIK DEUTSCHLAND:
ART. 14, 1 UND 2

Das Eigentum und das Erbrecht werden gewährleistet. Inhalt und Schranken werden durch die Gesetze bestimmt. Eigentum verpflichtet. Sein Gebrauch soll zugleich dem Wohle der Allgemeinheit dienen.

Denksportaufgabe

Benutzen Sie die Passivform:
In unserer Firma **wurde** die Rationalisierung sehr ernst genommen. Auch in der Buchhaltungsabteilung mußte gespart _____. So durfte ein neuer Bleistift erst dann gekauft _____, wenn ein nur 2 cm kurzer Bleistiftstummel abgeliefert _____ konnte. Da aber die Bleistifte bevorzugt geklaut _____ und uns keine neuen bewilligt _____, haben wir uns etwas einfallen lassen. Wissen Sie, was?

Erzählen Sie mit folgenden Verben die Lösung im Passiv:

zersägen, anspitzen, abliefern, eintauschen

Sprechübung

Beispiel:
Was ist mit der Rechnung?   Die *muß bezahlt werden.*

1. Was ist mit dem Scheck?   _____
2. Was ist mit dem Brief?   _____
3. Was ist mit dem Firmenwagen?   _____
4. Was ist mit dem Paket?   _____
5. Was ist mit Herrn Müller?   _____
6. Was ist mit der Hotelbuchung?   _____
7. Was ist mit der Schreibmaschine?   _____
8. Was ist mit dem Taxi?   _____

Konkurs

I. Finden Sie Redewendungen im Text.

Unser Juniorchef hatte immer nur Rosinen im Kopf. Er selbst wollte natürlich auf großem Fuß leben. Wir sollten uns alle mächtig ins Zeug legen, aber er selbst wollte sich kein Bein ausreißen. Bald war die Firma bei allen Banken in der Kreide. Bei diesen hohen Zinsen konnten wir ja auf keinen grünen Zweig kommen. Das wurde nicht an die große Glocke gehängt. Und wir als Arbeiter wußten natürlich nicht, wie der Hase läuft. Wir dachten, wir sitzen noch fest im Sattel. Und dabei stand der Firma das Wasser bis zum Hals. Eines Tages mußte aber auch der Juniorchef klein beigeben. Da hat er die Katze aus dem Sack gelassen und erklärt, daß er uns feuern müßte. Der Betriebsrat hat dann zum Glück alle Hebel in Bewegung gesetzt, und so sind wir noch mal mit 'nem blauen Auge davongekommen.

II. Finden Sie hier eine Entsprechung der Redewendungen im Text:

> eingebildet sein – luxuriös leben – sich anstrengen – sich keine Mühe geben – verschuldet sein – erfolgreich sein – bekannt machen – Bescheid wissen – abgesichert sein – in Not sein – nachgeben – etwas eingestehen – kündigen – alles Mögliche unternehmen – ohne größeren Schaden davonkommen

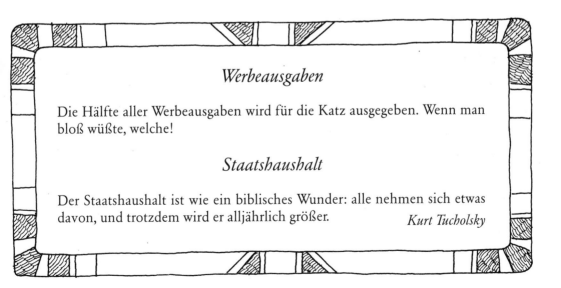

Werbeausgaben

Die Hälfte aller Werbeausgaben wird für die Katz ausgegeben. Wenn man bloß wüßte, welche!

Staatshaushalt

Der Staatshaushalt ist wie ein biblisches Wunder: alle nehmen sich etwas davon, und trotzdem wird er alljährlich größer.   *Kurt Tucholsky*

5

Vokabelsalat

Ordnen Sie die Vokabeln den folgenden Themen zu:

die Miete, -n   das Girokonto, -konten   die Bankleitzahl
das Erdöl   die Braunkohle   die Postleitzahl
der Mutterschaftsurlaub   das Porto   die Überstunde, -n
die Adresse, -n   das Gehalt, ¨er   der Akkord
der Empfänger,-   der Urlaubsanspruch, ¨e   das Kupfer
die Lagerhaltung   die Überweisung, -en   die Unterschrift, -en
der Wechsel,-   das Eisen   der Mitgliederbeitrag
der Streik, -s   die Kreditzinsen   der Kurs, -e
die Investition, -en   die Anschrift, -en   die Abschreibung

Gewerkschaft: _____

_____

Bank: _____

_____

Rohstoffe: _____

Unkosten: _____

_____

Korrespondenz: _____

_____

Wie heißen die Nomen?

Geld kann man auf der Bank...

1. abheben   2. umtauschen   3. einzahlen   4. auszahlen   5. anlegen   6. überweisen
7. wechseln

Sprechübung: Geld regiert die Welt

Hören und verstehen

Wiederholen Sie die folgenden kurzen Zeitungstexte aus dem Wirtschaftsteil mit Ihren eigenen Worten ...

Tonbandübung

Bitte wiederholen Sie:

1. einen Mangel feststellen
2. den Empfang bestätigen
3. den Kaufpreis erstatten
4. ein Angebot unterbreiten
5. einen Betrag überweisen
6. eine Rechnung begleichen

7. eine Ware liefern
8. eine Angelegenheit erledigen
9. um Auskunft bitten
10. eine Bestellung widerrufen
11. einen Auftrag ausführen

Tonbandübung

> *Beispiele:* die Erstattung des Kaufpreises
> der Kaufpreis *wurde erstattet*
>
> die Widerrufung der Bestellung
> die Bestellung *wurde widerrufen*

1. die Feststellung eines Mangels
2. die Bestätigung des Empfangs
3. die Erstattung des Kaufpreises
4. die Unterbreitung des Angebots
5. die Ausführung des Auftrags
6. die Überweisung des Betrags

7. die Begleichung der Rechnung
8. die Lieferung der Ware
9. die Erledigung der Angelegenheit
10. die Bitte um Auskunft
11. der Widerruf der Bestellung

Aus Geschäftsbriefen

I. Setzen Sie die richtige Verbform ein:

ausführen, beglichen, bestätigen, bestellte, bitten, erfolgt, erlauben, erledigen, erstatten, festgestellt, finden, gelieferte, lauten, überweisen, unterbreiten, verbleiben, widerrufen

1. Bitte _____ Sie uns ein verbindliches Angebot über zwölf Kofferradios mit der Bestellnummer 2318.

2. Wir _____ um Auskunft, bis zu welchem Datum mit Ihrer Lieferung zu rechnen ist.

3. Wir _____ uns, Ihnen folgendes Angebot zu unterbreiten:

4. Die Lieferung _____ per LKW ab Werk.

5. Unsere Zahlungsbedingungen _____: Fälligkeit bei Lieferung per Nachnahme zuzügl. MwSt.

6. Ich sehe mich leider gezwungen, die Bestellung vom 22. d. M. zu _____.

7. Leider können wir zur Zeit Ihren Auftrag nicht in der gewünschten Art und Weise _____ .

8. Hiermit _____ wir den Erhalt Ihrer Lieferung. Besten Dank.

9. Die von uns _____ Lieferung ist leider noch nicht bei uns eingetroffen. Wir bitten Sie, die Angelegenheit rasch zu _____ .

10. Bedauerlicherweise wurden beim Auspacken der Ware folgende Mängel _____ .

11. Beiliegend sende ich Ihnen die fehlerhaft _____ Ware zurück. Ich trete hiermit vom Kauf zurück und bitte Sie, den Kaufpreis umgehend zu _____ .

12. Bitte _____ Sie den unten aufgeführten Betrag auf eines unserer Konten.

13. Bei Durchsicht unserer Konten mußten wir feststellen, daß unsere Rechnung vom 20. 8. noch nicht _____ wurde. Wir bitten um Überweisung innerhalb einer Woche.

14. Eine Preisliste und ein Muster _____ Sie anbei.

15. In Erwartung einer baldigen Antwort und mit bestem Dank für Ihre Bemühungen _____ wir (mit freundlichen Grüßen) ...

II. Versuchen Sie, diesen Sätzen die nachstehenden Überschriften zuzuordnen:

Satz Nr.

15   a) Schlußformel
____   b) Mahnung
____   c) Widerruf einer Bestellung
____   d) Rücktritt vom Kauf
____   e) Lieferungsverzug
____   f) Ablehnung eines Auftrags
____   g) Zahlungsbedingungen
____   h) Bitte um ein Angebot

____   i) Übersendung eines Angebots
____   j) Anlagenvermerk
____   k) Rechnung
____   l) Reklamation
____   m) Eingangsbestätigung
____   n) Lieferbedingungen
____   o) Frage nach dem Liefertermin

Was paßt zusammen?

Anrede

1. Sehr geehrte Damen und Herren,
2. Sehr verehrte Dame,
   sehr geehrter Herr,
3. Liebe Elisabeth, lieber Hannes!
4. Liebe Familie Schneider,
5. Sehr geehrter Herr Dr. Schmidt,
6. Ihr Lieben!
7. Meine liebe süße Maus,

Schlußformel

a) Hoffentlich bis bald!
b) Hochachtungsvoll
c) Herzliche Grüße von
d) Mit freundlichen Grüßen
e) Mit besten Grüßen
f) Für immer Dein
g) Herzlichst Euer

Wie heißen die fehlenden Präpositionen?

1. Wir bemühen uns *um* rechtzeitige Lieferung.
2. Wir nehmen Bezug _____ das obengenannte Schreiben.
3. Wir bitten _____ Ihr Verständnis.
4. Wir informieren Sie gern _____ unsere Produkte.
5. In Antwort _____ Ihr Schreiben senden wir Ihnen einen Prospekt.
6. Wir weisen _____ unsere neue Firmenanschrift hin.
7. Wir fordern Sie _____ umgehenden Überweisung des Betrags auf.
8. Unter Bezugnahme _____ unseren Briefwechsel erklären wir uns _____ Zahlung bereit.

Bilden Sie Sätze

> *Beispiel:*
> Wir danken Ihnen für Ihre Bestellung vom 20. 6. und liefern Ihnen hiermit die gewünschten Maschinen.

1. Wir danken Ihnen für	Auftrag	sich bemühen um	Maschinen
2. Bezugnehmend auf	Angebot	mitteilen	Lieferung
3. Laut	Anfrage	auffordern zu	Preise
4. Ich beziehe mich auf	Rechnung	bitten um	Verspätung
5. Im Hinblick auf	Bestellung	übersenden	Zusendung
6. Entsprechend	Telefonat	informieren über	Zahlung
7. In Antwort auf	Mitteilung	hinweisen auf	Waren
8. Unter Bezugnahme auf	Schreiben	liefern	Mängel
9. Gemäß	Anruf	bedauern	Qualität

5

Neue Vokabeln

Nomen	Plural	Verben	Adjektive

der _____ - ___

der _____ - ___

der _____ - ___

der _____ - ___

der _____ - ___

der _____ - ___

der _____ - ___

der _____ - ___

der _____ - ___

der _____ - ___

Sonstiges

die _____ - ___

die _____ - ___

die _____ - ___

die _____ - ___

die _____ - ___

die _____ - ___

die _____ - ___

die _____ - ___

die _____ - ___

die _____ - ___

die _____ - ___

Redewendungen

das _____ - ___

das _____ - ___

das _____ - ___

das _____ - ___

das _____ - ___

das _____ - ___

das _____ - ___

das _____ - ___

das _____ - ___

das _____ - ___

das _____ - ___

Ausländer

Grammatik: Verben und Nomen mit Präpositionen,
Genus der Länder

Irenäus Eibl-Eibesfeldt

Die Angst vor den Menschen

Von den Wurzeln diskriminierenden
Verhaltens

Der Anteil der Ausländer —
1982 in der Bundesrepublik Deutschland

7,6 %
— an der Bevölkerung

11,7 %
— an den Empfängern laufender Sozialhilfe
(1981)

13,4 %
— an den Arbeitslosen

14,6 %
— an den Kindern mit Kindergeld

G 4847

Eine alte Frage hat angesichts wachsender Aversionen gegen Ausländer in der Bundesrepublik neue Aktualität erhalten: Wie kommt es dazu, daß Menschen sich anderen gegenüber verschließen und sich in Gruppen oft aggressiv und gefühlsbetont voneinander absetzen? Warum ist es so leicht, Gruppenvorurteile anzuerziehen, und so schwer, sie wieder auszuräumen?

die Aversion:
die Abneigung

gefühlsbetont: emotional

aus/räumen: beseitigen

Über die längste Zeit unserer Geschichte haben wir Menschen nur in individualisierten Kleinverbänden gelebt, in denen jeder jeden kannte. Heute ist das anders. In den Großstädten haben wir es im Alltag vor allem mit Menschen zu tun, die

der Kleinverband:
die Gruppe
im Alltag: täglich

wir nicht kennen. Unser Verhalten ist dementsprechend in Richtung Mißtrauen verschoben. Ein ständiger leichter Angststreß ist feststellbar. Psychologen zählten aus, wie schnell Menschen in den Großstädten gehen. Sie fanden einen linearen Zusammenhang zwischen Geschwindigkeit und Bevölkerungsdichte. Je dichter die Menschen mit Fremden zusammenleben, desto schneller gehen sie, so als wären sie voreinander auf der Flucht. Wir vermeiden ferner insbesondere den Blickkontakt mit Fremden. Die meisten von uns wissen sicher aus eigener Erfahrung, wie scheu sich Leute in einem Hotelaufzug geben. Jeder meidet es, den anderen anzusehen.

dementsprechend: folglich
ständig: andauernd
feststellbar: zu bemerken
linear: direkt

ferner: außerdem
insbesondere: besonders
scheu: schüchtern
sich geben: sich verhalten

Die Scheu des Menschen vor seinen Mitmenschen *gehört* also *zu* den Universalien im menschlichen Sozialverhalten. Sie *führt* dazu, daß wir Fremden zunächst mit einem gewissen angstmotivierenden Mißtrauen gegenüberstehen, und zwar zunehmend mit dem Grad der Fremdheit.

die Universalien:
die Gegebenheiten
angstmotivierend:
beängstigend
zunehmend: wachsend

Menschen schließen sich in Gruppen gegen andere ab. Sie *betrachten* dabei in der Regel auch bestimmte Gebiete *als* ihr Territorium, und sie pflegen diese *gegen* Eindringlinge zu *verteidigen*. Über Eigenarten des Brauchtums, der Kleidung, des Glaubens und der Sprache – kulturell also – setzen sich Menschengruppen voneinander ab. Und zwar so, als wären sie verschiedene Arten. Das drücken sie vielfach auch sprachlich aus, indem sie sich jeweils *als* Menschen *bezeichnen*, anderen jedoch wirkliches Menschsein absprechen.

das Territorium:
das Gebiet
etw. zu tun pflegen:
gewöhnlich etwas tun
das Brauchtum: die Sitte

Deutschland *gehört zu* den am dichtesten bevölkerten Ländern Europas, und die Unruhe der Deutschen über die fortschreitende Umweltzerstörung durch Straßenbau, Städtebau, durch Luft- und Wasserverschmutzung ist allgemein bekannt. Deutschland ist übervölkert. Es *mangelt am* Elementarsten: *an* Wohnraum, Wasser, guter Luft. Dazu kommt, daß sich die Bevölkerung der Bundesrepublik keineswegs mehr im Notfall aus dem eigenen Land ernähren könnte. Die Bundesrepublik ist auf Gedeih und Verderb *vom* Import *abhängig* und damit *von* einem funktionierenden Export. Wie krisenanfällig eine solche Wirtschaft ist, wurde uns ja in den letzten Jahren vorgeführt. Die Behauptung, daß die fremden Arbeitskräfte für

dicht: eng

fortschreitend: wachsend

das Elementare:
das Grundlegende
keineswegs:
auf keinen Fall
auf Gedeih und Verderb:
in jedem Fall
krisenanfällig:
verwundbar

die Wirtschaft unabkömmlich wären und ihre Leistung sich in der Bilanz positiv auswirkte, dürfte nur dann stimmen, wenn man die Folgelasten einer Integration nicht berücksichtigt. Allein in den letzten drei Jahren *nahm* die Zahl der Gastarbeiter und Asylanten *um 650 000 zu* – und das wohlgemerkt trotz des Anwerbestops und aller übrigen Bemühungen, den Zustrom zu bremsen. Dabei stellen die Asylanten – vor Jahren noch eine bevölkerungspolitisch unbedeutende Gruppe – mittlerweile einen erheblichen Prozentsatz der Ausländer. Das alles ist für ein bevölkerungsreiches Land auf die Dauer nicht zu verkraften. Die Soziallasten sind aber bereits jetzt außerordentlich hoch. Das Problem dürfte sich durch die unterschiedlichen Fortpflanzungsraten von Deutschen und Türken noch verschärfen. Nach einer Meldung in der Süddeutschen Zeitung vom Mai dieses Jahres stieg der Anteil der Ausländer an den Volksschulen Münchens innerhalb eines Jahres von 20,3 auf 23,7 Prozent. In anderen Städten ist der Anteil an Ausländern in Kindergärten und Volksschulen sogar höher.

Die übervölkerten Industrienationen Europas können ihrer Verpflichtung, den Armen zu helfen, nur nachkommen, wenn sie selbst nicht *in den Strudel der Massenvermehrung einbezogen werden*. Das heißt, daß die Hilfe nicht dadurch geschehen kann, daß man einige Millionen einwandern läßt, sondern dadurch, daß man bestimmten Ländern mit Rat und Tat *bei* der Lösung ihrer eigenen Probleme im Lande *hilft*.

So wie die Ausländer in erster Linie ihre Interessen vertreten, so dürfen auch die Wirtsvölker ohne Schuldgefühle ihre eigenen Interessen wahrnehmen, ja die Regierungen haben sich meist sogar dazu *verpflichtet*, die Interessen des eigenen Volkes zu wahren. Das Grundgesetz macht da wohl keine Ausnahme.

Die Hugenotten und die polnischen Einwanderer *wurden* in relativ kurzer Zeit *zu* Deutschen. Innerhalb Europas macht das offenbar keine Schwierigkeiten, da es Gemeinsamkeiten der Geschichte und Kultur gibt, die Europa zu einer größeren Einheit verbinden, man *denke* nur *an* die Stilformen der Baukunst und Musik oder *an* das verbindende Erbe des Christentums.

die Behauptung: das unbewiesene Argument
unabkömmlich: notwendig
die Folgelasten: die Folgekosten
berücksichtigen: betrachten
wohlgemerkt: wie ich betonen möchte
erheblich: bedeutend
bereits: schon
die Fortpflanzung: die Vermehrung
die Rate: die Quote

die Verpflichtung: die moralische Aufgabe
ein/beziehen ≠ aus/klammern
mit Rat und Tat: theoretisch und praktisch

in erster Linie: hauptsächlich
das Wirtsvolk: das Gastgebervolk
wahren: aufrecht/erhalten
das Grundgesetz: die Verfassung
der Einwanderer: der Immigrant
offenbar: wie man sieht

das Erbe: die Überlieferung

6

Die Prognosen für die Eindeutschung einer kulturell sehr selbstbewußten Gruppe, die einem anderen Kulturbereich angehört, sind dagegen wenig günstig. Auch Minderheiten haben das Bedürfnis, ihre Eigenart zu erhalten. Da in einem stark bevölkerten Gebiet wenig Raum für territoriale Abgrenzungen gegeben ist, sind Konflikte mit einer gewissen Wahrscheinlichkeit zu erwarten. Sie zeichnen sich bereits ab, und zwar nicht, weil die Bevölkerung der Bundesrepublik besonders intolerant wäre. Andere Wirtsvölker reagieren ganz ähnlich. Man muß damit rechnen.

die Prognose:
die Vorhersage
selbstbewußt:
von sich selbst überzeugt
das Bedürfnis:
der Wunsch

sich ab/zeichnen:
erkennbar werden

Auf die Dauer kann kein Land beliebige Mengen von Bürgern anderer Länder bei sich aufnehmen, ohne in ernsthafte Schwierigkeiten wirtschaftlicher, ökologischer und sozialer Art zu kommen.

beliebig: wie gewünscht
ernsthaft: ernst

(Der Autor ist Leiter des Max-Planck-Instituts für Verhaltensphysiologie.)

der Leiter: der Direktor

(Aus: *Süddeutsche Zeitung* vom 3. 7. 82, gekürzt)

Aufgaben

1. Arbeiten Sie (evtl. in Gruppenarbeit) die Argumente aus beiden Texten heraus. Stellen Sie die Argumente von Eibl-Eibesfeldt denen von Frau Gmelin (nebenstehender Leserbrief) gegenüber.

2. Schreiben Sie einen Leserbrief zum Thema „Als Ausländer in der Bundesrepublik" an die Süddeutsche Zeitung. Berichten Sie z. B., warum Sie in der Bundesrepublik sein wollen, was Sie von den Deutschen erwarten oder was Sie schon im Umgang mit ihnen erlebt haben.

Podiumsdiskussion: Ausländer raus?

Was sagen Sie zum Thema „Ausländerfeindlichkeit"?

Argumente der Gruppe 1:

_____

_____

_____

_____

Argumente der Gruppe 2:

_____

_____

_____

_____

Leserbrief

Die Antwort auf die Frage, was denn nun das Deutsche an unserer Kultur sei, fällt bei Eibl-Eibesfeldt ebenso dürftig aus wie bei allen, die Angst vor Überfremdung haben. Eine kurze Erwähnung von Brauchtum, Glaube und Sprache.

Was also ist das Deutsche in unserer Kultur? Ist es die Beat-Musik? Ist es der Whisky, der Chianti, der Weihnachtsurlaub in Mallorca? Das Steak Hawaii gut bürgerlich? Die Jeans und T-Shirts, die Teak-Garnitur und das Bonsai-Bäumchen? Oder ist es die speziell deutsch-innige Art, "Dallas" anzuglotzen? Donald Duck für die Kleinen, die Queen für die Alten. Die deutsche Kultur ist schon o.k., aber was schadet es ihr, wenn auch junge Türken Jeans und T-Shirts tragen, Beat hören und "Dallas" anglotzen? Oder sollte es sich bei der deutschen Kultur um das Oktoberfest handeln oder ganz schlicht um das Hakenkreuz? Müssen wir die Fremden vertreiben, um diese echt deutschen Einrichtungen echt deutsch zu erhalten? Sicherlich sind das die sauberen Straßen (gekehrt von Türken), die hygienischen Krankenhäuser (geputzt von Türkinnen), die funktionierende Müllabfuhr (besorgt von Türken), die noch immer florierende Autoindustrie (rund 5o% ausländische Arbeiter), die deutsche Kohleförderung (dito).

Bleibt uns der Glaube. Laßt ihn uns hochhalten gegen den Halbmond, nachdem unsere Gesellschaft alle Denk- und Erscheinungsformen des Nihilismus und Agnostizismus, die Sexwelle, die Freßwelle, die Nackten im Englischen Garten und die Vergötterung des Hundes mühelos akzeptiert und integriert hat: der betende und Schweinefleisch nebst Bier verschmähende Türke mit seinem Kopftuchweiblein ist ein Greuel!

Aber wir haben eine Kultur, oder sagen wir mal, wir hätten eine, wenn wir nicht eifrig dabei wären, sie zu vergessen. 3oo Jahre Aufklärung, Naturrechtslehre, technische Revolution, Sozialversicherung, Erfahrung aus zwei Weltkriegen und einer der schlimmsten Diktaturen der menschlichen Geschichte; aus alledem hervorgegangen ein Grundgesetz, welches die Würde des Menschen und die freie Entfaltung der Person, Meinungs- und Religionsfreiheit, Schutz von Ehe und Familie garantiert, Diskriminierung verbietet, unsere Republik zum sozialen Rechtsstaat erklärt und politisch Verfolgten Asyl verspricht.

Bleibt schließlich noch das Problem der Sprache: 6o Millionen Deutsche, ein Volk, das sich 1oo Jahre lang in der Philologie besonders hervorgetan hat und heute an Lehrerüberschuß "leidet", sieht sich außerstande, mit 4-5 Millionen zugereisten Ausländern eine Basis der sprachlichen Verständigung herzustellen. Ja, sind wir denn von allen guten Geistern verlassen? Fühlen uns überfremdet, weil unsere Müllmänner kein Deutsch können! Ciao, deutsche Kultura! Man muß sich wirklich fragen, wer der Kanake ist.

(Aus der SZ von Brigitte Gmelin, München, gekürzt)

6

Würden Sie mit denen disku-
tieren?
Was würden Sie sagen?

Benutzen Sie dabei folgende Redemittel:

Zustimmung:

Ich bin ganz Ihrer Meinung.
Da haben Sie völlig recht.
Das stimmt sicherlich.
Ganz meiner Meinung.
Das finde ich auch.
Das ist völlig richtig.
Das sehe ich auch so.
Das halte ich für richtig.

Widerspruch:

Das stimmt doch ganz und gar nicht.
So ein Quatsch / Blödsinn / Unsinn.
Das halte ich für absolut falsch.
Da bin ich aber anderer Meinung.
Das ist an den Haaren herbeigezogen.
Nein, das Gegenteil ist der Fall.
Das kann ich mir nicht vorstellen.
So kann man das unmöglich sagen.

Einspruch:

Darf ich bitte mal ausreden?
Ich möchte das noch zu Ende führen.
Sie unterbrechen mich ja dauernd.
Darf ich an der Stelle Sie mal kurz unter-
brechen?
Da hätte ich einen Einwand zu machen.

Entschuldigung:

Jetzt habe ich den roten Faden verloren.
Jetzt weiß ich nicht mehr, was ich eigentlich
sagen wollte.
Das habe ich falsch verstanden.
Das habe ich akustisch nicht verstanden.
Entschuldigen Sie meine Frage.
Verzeihen Sie meine Bemerkung.

Redemittel

Reagieren Sie spontan mit Zustimmung oder Widerspruch!

1. Die Deutschen essen dreimal täglich eine warme Mahlzeit.
2. Die meisten Deutschen haben Haustiere lieber als kleine Kinder.
3. Gastarbeiter verdienen weniger als ihre deutschen Kollegen.
4. Die Bundesdeutschen fahren gern in die Länder, aus denen die Gastarbeiter kommen.
5. Die Gewaltkriminalität ist bei den Gastarbeitern zehnmal so hoch wie bei Deutschen.
6. In der Bundesrepublik gibt es Fernsehsendungen für ausländische Arbeitnehmer.
7. Kein Ausländer darf ohne Visum in die Bundesrepublik einreisen.

Verben mit Präpositionen

Wie heißen die zugehörigen Präpositionen im Lesetext? Bilden Sie einige Beispielsätze.

1. gehören   *zu* _____
2. führen   _____
3. betrachten   _____
4. verteidigen   _____
5. bezeichnen   _____

6. mangeln   _____
7. abhängig sein _____
8. zunehmen   _____
9. einbeziehen   _____
10. helfen   _____

11. verpflichten _____
12. werden   _____
13. denken   _____
14. rechnen   _____

Warum wird der Mann kontrolliert?
Spielen Sie den Dialog.

6

ABC der Vorurteile

Schreiben Sie auf, welche Vorurteile gegen einige dieser Gruppen bestehen:

Was macht denn der da oben?

Asylanten, Alte, Arbeitslose, Asoziale, Alkoholiker
Bayern, Bettler, Bartträger, Beamte, Behinderte
Christen, Charakterschwache, Chefs
Deutsche, Drogenabhängige, Depressive, Dicke
Emanzen, Entmündigte, Epileptiker
Farbige, Frauen, Fürsorgempfänger, Flüchtlinge
Gammler, Geistliche, Gastarbeiter, Geisteskranke
Heimkinder, Häßliche, Hippies, Homosexuelle, Hundebesitzer
Idealisten, Ideologen, Intellektuelle
Jesus People, Juden, Jusos
Kriegsdienstverweigerer, Kernkraftgegner, Künstler
Landstreicher, Langhaarige, Ledige, Linkshänder, Linke
Mütter, Märtyrer, Müllmänner, Mischlinge, Mönche
Neger, Nichtseßhafte, Nonnen, Nichtraucher
Obdachlose, Ostermarschierer, Ostfriesen
Politiker, Polizisten, Pazifisten, Penner
Querschnittsgelähmte, Querulanten
Radikale, Raucher, Rocker, Rentner, Rothaarige
Säufer, Selbstmörder, Soldaten, Straffällige, Süchtige
Tippelbrüder, Transvestiten, Theoretiker
Uneheliche Kinder, Unverheiratete, Utopisten
Vaterlandsverräter, Vorbestrafte, Verwahrloste
Wehrdienstverweigerer, Witwen, Waisen
Xanthippen, X-beliebige
Zigeuner, Zeugen Jehovas, Zugereiste

In einem fremden Land

Kommentieren Sie einige Probleme, die einem im Ausland begegnen können:

1. Anerkennung akademischer Grade
2. Aufenthaltserlaubnis
3. Arbeitserlaubnis
4. Führerschein
5. Sprachunterricht
6. Familiennachführung
7. Geldüberweisung
8. Grenzarbeitnehmer
9. illegale Einreise
10. Essen und Trinken
11. Kraftfahrzeug
12. Kindergeld
13. Krankenversicherung
14. Kriminalität
15. Kündigung
16. politische Betätigung
17. Rundfunk- und Fernsehen
18. Schulausbildung
19. Unterkunft
20. Zoll

§14 Ausländergesetz

Formen Sie die Sätze schriftlich um. Benutzen Sie dabei nebenstehendes Vokabular:

Ein Ausländer *darf nicht* in einen Staat abgeschoben werden, *in dem* sein Leben oder seine Freiheit wegen seiner Rasse, *Religion*, Staatsangehörigkeit, seiner Zugehörigkeit zu einer bestimmten sozialen Gruppe oder wegen seiner politischen Überzeugung bedroht ist. Dies *gilt* nicht für einen Ausländer, der aus schwerwiegenden Gründen als eine Gefahr für die Sicherheit *anzusehen ist* oder eine *Gefahr* für die Allgemeinheit bedeutet, weil er *wegen eines besonders schweren Verbrechens* rechtskräftig verurteilt wurde.	nicht legal wo Glauben Gültigkeit bedeutet gefährlich Schwerverbrecher

Verben mit Präpositionen: Dativ oder Akkusativ?

Wenn Sie nicht sicher sind, ob bei den folgenden Verben mit der Präposition „an" der Dativ oder Akkusativ folgen muß, fragen Sie sich, ob ein beabsichtigtes Ziel (Akkusativ) oder mehr ein bestehender Zustand (Dativ) ausgedrückt werden soll.

denken an	+ *den Gast*	schreiben an	+ _____
leiden an	+ _____	sterben an	+ _____
glauben an	+ _____	mit/wirken an	+ _____
an/knüpfen an	+ _____	hängen an	+ _____
appellieren an	+ _____	zerbrechen an	+ _____
erkennen an	+ _____	zweifeln an	+ _____
teil/haben an	+ _____	ändern an	+ _____
teil/nehmen an	+ _____	beteiligt sein an	+ _____
interessiert sein an	+ _____	erinnern an	+ _____
mangeln an	+ _____	arbeiten an	+ _____

Bilden Sie Sätze

1. Viele Gastarbeiter / leiden / Heimweh.

2. Sie / hängen / ihre Heimat / und / zerbrechen / manchmal / Gefühlskälte / Deutschland.

3. Keiner / sterben / Deutschland / Hunger / aber / mancher / leiden / Isolation / oder / Vorurteile.

4. Es / mangeln / Verständnis / auf beiden Seiten.

5. Vorurteil / Ausländer / mehr / beteiligt sein / Gewaltverbrechen / Deutsche.

6. Deutsche / Ausländer / arbeiten / ohne Probleme / dieselben / Maschinen.

7. Ausländische Frauen / oft / nicht / teilhaben / öffentliches Leben.

8. Sie / glauben / ihre Werte / und / anknüpfen / heimatliche Traditionen.

9. Man / erkennen / sie / manchmal / bunte Kleidung / oder / Kopftuch.

10. Viele Deutsche / zweifeln / Möglichkeit / Integration / Gastarbeiter / und / wollen / Situation / nichts / ändern.

11. Andere / mitwirken / deutsch-ausländische Feste / und / teilnehmen / Folklore / Tanz.

12. Andere / appellieren / Toleranz / Bevölkerung / und / schreiben / beispielsweise / Leserbrief / Zeitung.

13. Ausländerfeindlichkeit / erinnern / Zeit / Drittes Reich.

14. Deutschland / noch heute / schwer tragen / dunkelste Epoche / seine Geschichte.

15. Die meisten Deutschen / interessiert sein / gutes Zusammenleben / ausländische Gäste.

Umwandlungsübung

Wie heißt das Verb?

> *Beispiel:* der Gedanke an die Heimat – *an* die Heimat *denken*

1. das Leiden an der Einsamkeit _____
2. der Appell an die Vernunft _____
3. der Glaube an die Wahrheit _____
4. die Teilnahme an Veranstaltungen _____
5. das Interesse an der Kultur _____
6. die Erinnerung an die Familie _____
7. der Mangel an Geld _____
8. die Arbeit an einem Fließband _____
9. das Schreiben an die Behörde _____
10. der Zweifel an seinen Fähigkeiten _____
11. die Mitwirkung an einem Projekt _____

Lückentest

Ein Ausländer _____ nicht in einen Staat abgeschoben _____, in dem _____ Leben oder seine Freiheit wegen seiner Rasse, Religion, Staatsangehörigkeit, seiner Zugehörigkeit _____ einer bestimmten sozialen Gruppe oder wegen seiner politischen _____ bedroht ist. Dies _____ nicht _____ einen Ausländer, der aus schwerwiegenden _____ als eine Gefahr _____ die Sicherheit anzusehen ist oder eine Gefahr_____ die Allgemeinheit bedeutet, weil er wegen eines besonders schweren _____ rechtskräftig verurteilt _____.

*Worüber wird hier diskutiert?
(z. B. Probleme in der Schule,
Mieterhöhung, Ladendiebstahl oder ...?)
Spielen Sie den Dialog.*

Asylrecht

a) Religion:
Die Unterdrückung der religiösen Überzeugung kann erst dann als Unterdrückung angesehen werden, wenn sie zur unmittelbaren Gefahr für Freiheit, Leben oder wirtschaftliche Existenz geworden ist. Die Verfolgungshandlung muß sich unmittelbar gegen den Asylsuchenden als Einzelperson, nicht aber gegen eine bestimmte Religionsgemeinschaft als Ganzes gerichtet haben.

b) Nationalität:
Auch hier reichen allgemeine Maßnahmen, die sich gegen eine Volksgruppe auswirken, nicht aus. Vielmehr müssen unmittelbar gegen den einzelnen gerichtete Verfolgungsmaßnahmen vorliegen.

c) Soziale Gruppen:
Die Verschlechterung wirtschaftlicher Verhältnisse allein ist nicht als Verfolgung anzusehen. Dagegen ist die Beschränkung des wirtschaftlichen oder beruflichen Fortkommens jedenfalls dann als Verfolgungsmaßnahme anzusehen, wenn die wirtschaftliche Existenzgrundlage durch staatliche Maßnahmen vernichtet oder der Vernichtung nahegebracht wird.

d) Politische Überzeugung:
Die politische Überzeugung, die die Anerkennung herbeiführen soll, muß durch entsprechendes Verhalten auch äußerlich erkennbar gewesen sein. In Betracht kommen z. B. die Kritik an staatlichen Maßnahmen. Dagegen wird die Ablehnung, der Staatspartei beizutreten,

6

nur ausnahmsweise als Beweis für ein politisch motiviertes regimefeindliches Verhalten angesehen werden können.

e) Wehrdienstverweigerung:
Wer in seinem Heimatstaat den Kriegsdienst mit der Waffe aus Gewissensgründen verweigert und gleichwohl wegen Wehrdienstentziehung mit Freiheitsstrafe bestraft werden kann, hat Anspruch auf Asyl.

(Aus: *Beiträge zum Ausländerrecht*)

Aufgabe

Fassen Sie schriftlich zusammen:

Unter welchen Bedingungen kann ein Ausländer in der Bundesrepublik Asyl bekommen?

Ländernamen, Nationalitäten, Sprachen

1. Schreiben Sie mindestens zwanzig europäische Länder auf ein Blatt Papier. Wer die meisten Ländernamen Europas richtig geschrieben hat, bekommt einen kleinen Preis.

2. Nennen Sie die sechs Kontinente.

3. Welche Sprachen zählen Sie zu den Weltsprachen, und warum?

4. Welche Sprachen würden Sie gern lernen, und warum?

5. Welches Volk finden Sie besonders sympathisch? Begründen Sie Ihre Meinung.

6. An welche Länder grenzt die Bundesrepublik?

QUIZ: Genus der Länder

Die meisten Länder sind nicht politisch, sondern grammatisch neutral. Welche Länder sind maskulin, feminin oder stehen im Plural?

maskulin	feminin	Plural
der I__k	die Sch_____z	die __SA
der S__dan	die __sch__ch__sl__w__kei	die V__rein__gt___ S__aa___n
der V__t__ka__	die Mon__o__ei	die __ied__rla__de
der Li__ano__	die __ürk__i	die Ph__l__p__inen
	die __und__s__e__ub__ik	
	die D__R	
	die S__wj____un____n (Ud____R)	

Merken Sie sich:

	maskulin	feminin	Plural
Wo?	**im** Irak	**in der** Schweiz	**in den** USA
Wohin?	**in den** Irak	**in die** Schweiz	**in die** USA
Woher?	**aus dem** Irak	**aus der** Schweiz	**aus den** USA

Tonbandübung

Bitte wiederholen Sie die Ländernamen mit Artikel. Bei neutralen Ländernamen lassen Sie den Artikel weg.

Kanada	Vereinigte Staaten	Brasilien	Niederlande
England	USA	China	Griechenland
Tschechoslowakei	Sowjetunion	Türkei	Deutschland
Spanien	UdSSR	Israel	Bundesrepublik
Schweiz	DDR	Holland	Japan

Formulieren Sie

Beispiel:

Ich komme *aus Deutschland.*
Ich bin *in Deutschland* geboren.
Ich bin *Deutsche(r).*
Meine Eltern sind auch *Deutsche.*
In meinem Land spricht man *Deutsch.*
Ich fahre natürlich gern *nach Deutschland* zurück.

1. Türkei   2. USA   3. Japan   4. Schweiz   5. Ihr Herkunftsland

6

Nationalitäten

Wie heißen die Endungen?

der Deutsch **e**	der Dän____	der Kanadi____	der Spani____
der Franzos____	der Tschech____	der Holländ____	der Italien____
der Pol____	der Jugoslaw____	der Brasilian____	der Amerikan____
der Russ____	der Rumän____	der Südamerikan____	der Österreich____
der Chines____	der Vietnames____	der Europä____	der Schweiz____
der Portugies____	der Asiat____	der Afrikan____	der Norweg____
der Schwed____		der Belgi____	

Plural: **-en**   *Plural:* **-er**

Bilden Sie den Plural

Wie heißen die Einwohner von ...?

Holland	Brasilien	Afrika	Frankreich
Europa	Belgien	Südamerika	Deutschland
Kanada	Rußland	Polen	
Vietnam	Asien	Dänemark	
China	Spanien	Österreich	

Denksportaufgabe: Die fünf Botschafter

Im Bonner Diplomatenviertel stehen fünf ganz verschiedene Häuser nebeneinander. Die Botschafter, die darin wohnen, kommen aus aller Welt. Sie fahren unterschiedliche Automarken und haben verschiedene Lieblingsspeisen. Der Botschafter der Schweiz wohnt im grünen Haus in der Mitte. Er gibt für die anderen Botschafter ein Essen.

1. Der Holländer bedankt sich für die Einladung.
2. Einer der Botschafter hat einen Ford.
3. Der Franzose wohnt in einem weißen Haus.
4. Die amerikanische Botschaft ist weiter von der französischen entfernt als die anderen Botschaften.

5. Ganz rechts in der Straße steht eine rote Villa.

6. Rechts neben dem grauen Bungalow steht ein gelbes Haus.

7. Der Amerikaner mag den Fischgeruch aus dem Nachbarhaus nicht.

8. Das Reihenhaus steht direkt zwischen dem Bungalow und dem Hochhaus.

9. Der Chinese erzählt vom Swimmingpool neben seinem roten Haus.

10. Übrigens: Der Franzose mag Schweinshaxe.

11. Der VW steht immer in der Garage des Reihenhauses.

12. Der Schweizer kocht schon wieder sein Leibgericht: Sauerbraten.

13. Der Chinese ist mit seinem Audi ganz zufrieden.

14. Der Mercedesfahrer liebt die deutschen Bratwürste.

15. Vor dem Fachwerkhaus steht, um es noch zu erwähnen, immer der Porsche des Besitzers.

Welcher der Herren ist Vegetarier?
Wer hat seinen Mercedes auf dem Bürgersteig geparkt?

Grün

Vokabeltest

Sprache:	Land:	männlich:	weiblich:
russisch	– Rußland	– der Russe	– die Russin
französisch	–	–	–
	–	– der Belgier	–
	– Dänemark	–	–
spanisch	–	–	–
	–	–	– die Holländerin
	– Portugal	–	–
	–	– der Chinese	–
	– die USA	–	–
polnisch	–	–	–
	–	–	– die Schwedin

6

Partnerarbeit: Vorstellung

Bitte interviewen Sie einen Partner in Ihrer Gruppe. Fragen Sie ihn nach Abstammung, Heimatland, Sprachkenntnissen, Reisewünschen, Sympathien gegenüber anderen Nationalitäten, Interessen.
Stellen Sie anschließend diesen Partner der Gruppe vor.

Situative Sprechübungen

Was würden Sie spontan sagen?

1. Sie suchen den Weg zum Arbeitsamt.
2. Sie wollen Informationen über Sprachkurse in der Bundesrepublik.
3. Sie wollen ein Zimmer im Studentenwohnheim.
4. Der Arzt fragt nach der Krankenversicherung.
5. Ein Betrunkener beschimpft Sie in einem Lokal und will sich mit Ihnen schlagen.
6. Ein Polizist sagt, daß Ihre Aufenthaltsgenehmigung abgelaufen ist.
7. Der Vermieter ruft an: Ihr Mietpreis wird ab nächstem Monat verdoppelt.
8. Sie müssen Ihren Stipendienantrag mündlich begründen.
9. Ihr deutscher Kollege bekommt mehr Lohn für gleiche Arbeit.
10. Sie bekommen eine offizielle Einladung, haben aber Ihren Anzug noch nicht aus der Reinigung zurückbekommen.
11. Jemand möchte Sie in einen Gottesdienst mitnehmen.
12. Die Reiseschecks sind verschwunden.
13. Nach einem teuren Essen im Restaurant haben Sie nicht genug Geld bei sich.

Substantivierte Adjektive

Die Deutschen spielen gern eine Sonderrolle; auch in der Grammatik:

Merken Sie sich die Endungen:			
der Deutsch**e**	ein Deutsch**er**	viele Deutsch**e**	alle Deutsch**en**
die Deutsch**e**	eine Deutsch**e**	einige Deutsch**e**	keine Deutsch**en**
die Deutsch**en**	Deutsch**e**	wenige Deutsch**e**	
		etliche Deutsch**e**	

Bilden Sie Sätze.

Lückentest

1. Die meisten Deutsch___ leben in der Bundesrepublik; viele Deutsch___ leben in der DDR,
   und nur wenige Deutsch___ leben im Ausland.
2. Ein Deutsch___ im weiteren Sinn ist auch, wer als Flüchtling oder Vertriebener mit deutscher
   Volkszugehörigkeit im Gebiet des Deutsch___ Reichs in den Grenzen von 1937 aufgenom-
   men wurde.
3. Diese Deutsch___ haben Anspruch auf Einbürgerung.
4. Auch Ausländer können nach mehreren Jahren auf Antrag zu Deutsch___ werden, natürlich
   auch die ausländischen Ehegatten von Deutsch___.
5. Bürger der DDR gelten in der Bundesrepublik nicht als Ausländer, sondern als Deutsch___.
6. Umgekehrt betrachtet die Regierung der DDR die Deutsch___ aus der Bundesrepublik als
   Ausländer.

> der west-deutsche sagte zum ost-deutschen –
> ein west-deutscher sagte zu einem ost-deutschen:
> „die deutschen...“
> „bitte“ sagte der ost-deutsche
> „wir deutschen...“ sagte der west-deutsche
> „wen meinen sie“ sagte der ost-deutsche
> „uns deutsche“ sagte der west-deutsche.
> „sind wir denn deutsche“ sagte der ost-deutsche
> (aus: *Franz Josef Bogner, Fabeln*)

6

Flaggen erraten

Beschreiben Sie eine allgemein bekannte Flagge. Lassen Sie die Nation von einem Partner erraten.

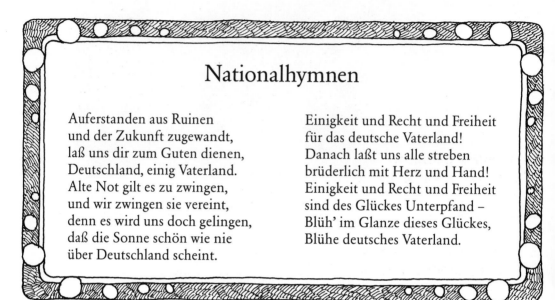

Nationalhymnen

Auferstanden aus Ruinen
und der Zukunft zugewandt,
laß uns dir zum Guten dienen,
Deutschland, einig Vaterland.
Alte Not gilt es zu zwingen,
und wir zwingen sie vereint,
denn es wird uns doch gelingen,
daß die Sonne schön wie nie
über Deutschland scheint.

Einigkeit und Recht und Freiheit
für das deutsche Vaterland!
Danach laßt uns alle streben
brüderlich mit Herz und Hand!
Einigkeit und Recht und Freiheit
sind des Glückes Unterpfand –
Blüh' im Glanze dieses Glückes,
Blühe deutsches Vaterland.

Welche Hymne ist die der DDR?

Aufgaben

1. Warum sind Flaggen und Nationalhymnen für die meisten Menschen so wichtig?
2. Referieren Sie kurz den Inhalt Ihrer Nationalhymne.

Setzen Sie die Präposition ein

Als ausländischer Arbeitnehmer wünsche ich mir, daß mehr Deutsche

für mich eintreten,

sich _____ mir unterhalten,

_____ mir arbeiten,

sich _____ mich kümmern,

_____ mich Rücksicht nehmen,

_____ mich denken,

_____ meine Probleme Bescheid wissen,

_____ mir halten,

_____ mir sprechen.

Sprechübung: Miteinander

Hören Sie die Sprechübung von der Cassette.

Umwandlungsübung

Finden Sie das Nomen mit der Präposition.

> *Beispiel: an* die Heimat *denken – der* Gedanke an *die Heimat*

1. an den Möglichkeiten zweifeln   _____
2. an der Kultur interessiert sein   _____
3. an die Gerechtigkeit glauben   _____
4. an die schöne Zeit sich erinnern   _____
5. an die Toleranz appellieren   _____
6. an Trinkwasser mangeln   _____
→ 7. an einem Sprachkurs teilnehmen   _____
8. an die Behörde schreiben   _____
9. an einem Projekt mitwirken   _____
10. an einer guten Sache beteiligt sein   _____
11. an einer Krankheit leiden   _____
12. an Reformen arbeiten   _____

Wortschatz-Spiel

Versuchen Sie, mit den Buchstaben, die in einem bestimmten Wort enthalten sind, innerhalb von fünf Minuten möglichst viele neue Wörter zu bilden. Wer die meisten findet, hat gewonnen.

> *Beispiel:* „Wortschatz"
>
> Ort, Trotz, Tat, tot, Chor, rot, Schwatz, Zar, rosa, Ast, Tor, wach, Wachs, zwar, Trost, hat, zart, rasch, Salz, Start, schwarz, satt, Rost, Rast, Art, hart, Rat, Watt, Wort, Schatz, Schrot, schwatzt, usw.

6
Spiel mit Wörtern im Plural

Meine Tante hat einen Laden...

Jemand sagt: „Meine Tante hat einen Laden und verkauft darin alles, was mit „A" beginnt... ."
Die anderen schreiben, was ihnen dazu einfällt: z. B. Apfelsinen, Affen, Aprikosen, Autos, Anzüge, Automaten, usw.
Wer nach drei Minuten die meisten richtigen Lösungen gefunden hat, sagt wieder: „Meine Tante hat ..." mit einem anderen Buchstaben.

Spezielle Pluralformen

Nennen Sie den Singular.

1. Bauten	8. Fotoalben	15. Gymnasien
2. Kaufleute	9. Rhythmen	16. Museen
3. Themen	10. Abstrakta	17. Firmen
4. Regenfälle	11. Visa	18. Villen
5. Streitigkeiten	12. Materialien	19. Konten
6. Kommata	13. Atlanten	20. Individuen
7. Lexika	14. Kakteen	

Adressen

Zentralstelle für Arbeitsvermittlung der
Bundesanstalt für Arbeit (ZAV)
Feuerbachstr. 42
6000 Frankfurt/M. 1

Bundesanstalt für Arbeit
Ref. Vermittlung und Beschäftigung
ausländischer Arbeitnehmer aufgrund
von Regierungsvereinbarungen,
Eingliederungsmaßnahmen
Frachtentorgraben 33–35
8500 Nürnberg

Neue Vokabeln

Nomen	Plural	Verben	Adjektive

der _____ – ____
der _____ – ____
der _____ – ____
der _____ – ____
der _____ – ____
der _____ – ____
der _____ – ____
der _____ – ____
der _____ – ____
der _____ – ____

die _____ – ____
die _____ – ____
die _____ – ____
die _____ – ____
die _____ – ____
die _____ – ____
die _____ – ____
die _____ – ____
die _____ – ____
die _____ – ____
die _____ – ____

Sonstiges

das _____ – ____
das _____ – ____
das _____ – ____
das _____ – ____
das _____ – ____
das _____ – ____
das _____ – ____
das _____ – ____
das _____ – ____
das _____ – ____
das _____ – ____

Redewendungen

7

Reisen, Auto und Verkehr

Grammatik: *Verben mit Präpositionen, Komparation*

Gedicht

von Bertolt Brecht

Ich sitze am Straßenhang.
Der Fahrer wechselt das Rad.
Ich bin nicht gern, wo ich herkomme.
Ich bin nicht gern, wo ich hinfahre.
Warum sehe ich den Radwechsel mit Ungeduld?

Hilfen zum nachfolgenden Fachtext

Finden Sie im Text bedeutungsähnliche Wörter, und unterstreichen Sie diese:

entscheidend   *ausschlaggebend*   der Motor   _____

das Ansehen   _____   abgasarm   _____

weltweit   _____   die Verminderung   _____

gehören zu   _____   die Lärmbegrenzung _____

bestmöglich   _____   die Materialien   _____

herkömmlich   _____

Fortschritte im Automobilbau

Forschung und Entwicklung sind ausschlaggebende Faktoren für den guten Ruf westdeutscher Automobilmarken in aller Welt. Zu den Schwerpunkten dieser Arbeit zählen heute:

- konstruktive Verbesserungen in Richtung Sicherheitsauto
- optimale Kraftstoffnutzung bei konventionellen Otto- und Dieselmotoren
- Entwicklung neuer Antriebsaggregate mit Alternativ-Kraftstoffen
- Umweltschutz (Betrieb mit emissionsarmen Kraftstoffen, Schadstoff-Reduktion im Abgas der Verbrennungsmotoren, Geräuschdämmung bei den Fahrzeugen)
- Erforschung und Entwicklung neuer Werkstoffe und Produktionsverfahren

(Aus: *Bundesrepublik Deutschland*, Inter Nationes)

Welche Rolle spielen Industrieroboter?

Richtig oder falsch?

Wird das im Text gesagt? Wenn ja, an welcher Stelle?

	Ja	Nein
1. Forschung und Entwicklung tragen zum Ansehen der bundesrepublikanischen Autotypen bei.	○	○
2. Sicherheitsautos halten die Fahrtrichtung besser ein.	○	○
3. Autos sollen mit weniger Benzin auskommen.	○	○
4. Andere Kraftstoffe als Benzin kommen nicht in Frage.	○	○
5. Autos sollen leiser und durch weniger Schadstoffe im Abgas umweltfreundlicher werden.	○	○
6. Neue Materialien und Herstellungstechniken werden erprobt.	○	○

7

Diskussion

1. Auf den Straßen der Bundesrepublik sterben jährlich etwa 12 000 Menschen. Zu den Opfern gehören viele Kinder.

2. Auch das „Waldsterben" wird unter anderem auf die Umweltbelastung durch das Auto zurückgeführt.

Was könnte man Ihrer Meinung nach dagegen tun?

Unfall – Bilanz 1983

Straßenverkehrsunfälle in der BR Deutschland

Anstieg gegenüber 1982 in %

Bei 1,69 Millionen Unfällen... **+3,9**

...wurden 488 990 Menschen verletzt **+4,7**

...wurden 11 701 Menschen getötet **0,8**

G 5048

© Globus

Denksportaufgabe

Auf einer schmalen Straße gibt es eine Ausweichstelle für breite Fahrzeuge. Dort begegnen sich vier LKWs: zwei kommen aus dem Süden und zwei kommen aus dem Norden. Nur an der Ausweichstelle haben zwei LKWs nebeneinander Platz. Die Fahrer überlegen nicht lange, wie sie rangieren müssen, damit sie möglichst schnell weiterfahren können. Und Sie?

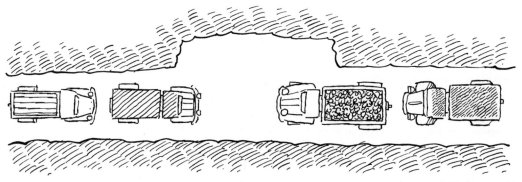

Vergleiche

Was halten Sie für besser?

In der Bundesrepublik darf man nach einem kleinen Glas Bier noch Auto fahren, in der DDR ist Alkohol am Steuer grundsätzlich verboten.

In der Bundesrepublik gibt es normalerweise keine Geschwindigkeitsbegrenzung auf den Autobahnen, in der DDR beträgt die Höchstgeschwindigkeit 100 km/h.

Anders als in der Bundesrepublik kann man in der DDR die öffentlichen Verkehrsmittel der Städte fast zum Nulltarif benutzen.

In der Bundesrepublik wurden wesentlich mehr Autobahnen gebaut als in der DDR.

Die Benutzung der Autobahnen ist in der Bundesrepublik im Gegensatz zu einigen anderen europäischen Ländern gebührenfrei.

Dumme Sprüche

1. Wer sein Auto liebt, der schiebt.

2. – Kennst du die größte Sekte?
   – Nein.
   – Das sind die VW-Fahrer!
   – Wieso denn das?
   – Die glauben, sie hätten ein Auto.

3. Autofahren ist teuer. „AUTO" fängt deshalb mit „AU" an und hört mit „O" auf!

4. Das Auto ist eine tolle Erfindung. Man kommt damit viel schneller in die nächste Werkstatt, als das zu Fuß möglich ist.

5. – Ich schreibe gerade ein Buch. Es soll eine Autobiographie werden.
   – Sag bloß! Seit wann interessierst du dich für Autos?

Merken Sie sich:	sich interessieren für + Akk. Interesse haben an + Dat. interessiert sein an + Dat. etwas liegt in meinem Interesse etwas oder jemand interessant finden etwas oder jemand interessiert mich

Bilden Sie Beispielsätze.

7

Finden Sie die passenden Wörter

Interessant

– Interessiert *dich* das Mädchen?
– Natürlich, ich hatte schon immer Interesse _____ hübschen Mädchen und schnellen Autos. Und die Blonde da _____ ich ziemlich interessant.
– Immer dasselbe. Interessierst du dich denn _____ nichts anderes?
– Hör auf! Wie ich dich kenne, bist du selbst _____ ihr interessiert.
– Sehr sogar. Ich hätte auch Interesse dar_____ zu wissen, ob sie sich _____ dich interessiert.
– Das geht dich gar nichts an. Das hat dich überhaupt nicht _____ interessieren.
– Hast du dir gedacht. Das ist nämlich meine Tochter. Und es liegt nicht _____ meinem Interesse, daß du dich _____ sie interessierst.

Ratespiel

Denken Sie an einen der untenstehenden Begriffe. Ein anderer soll ihn durch Fragen erraten. Sie antworten nur mit „ja" oder „nein".

Autobiographie	Autodidakt	Autobahn	Autobus
Automobil	Autokino	Autogramm	Autofahrer
Autonomie	Automat	Autor	Autorität

Die Komparation

> *Umlaut oder nicht?*
>
> Viele einsilbige Adjektive mit den Stammvokalen *a, o* oder *u* nehmen in der Komparativ- und Superlativform einen Umlaut an:
>
> alt: die **ä**lteste U-Bahn
> flach: die fl**a**chste Uhr

I. Setzen Sie den Vokal ein:

1. der l_ngste Weg   2. die kl_rste Sicht   3. die k_rzeste Strecke   4. das h_rteste Material   5. der w_rmste Sommer   6. der k_lteste Winter   7. der st_rkste Mann   8. der h_chste Turm   9. die schw_chste Leistung   10. der sch_rfste Senf   11. der gr_bste Fehler   12. die t_llste Idee   13. das z_rteste Filet   14. der kl_gste Schüler   15. der _rmste Bettler   16. das J_ngste Gericht   17. die r_scheste Entscheidung   18. der st_lzeste Ritter   19. die schl_nkste Figur   20. das gr_ßte Kamel

Merken Sie sich diese Ausnahmen:

viel	– mehr	– am meisten	hoch	– höher	– am höchsten	
		der, die, das meiste			der, die, das höchste	
viele	– mehr	– die meisten	teuer	– teurer –	am teuersten	
wenig	– weniger	– am wenigsten			der, die, das teuerste	
		der, die, das wenigste	nah	– näher	– am nächsten	
wenige	– weniger	– die wenigsten			der, die, das nächste	
			dunkel	– dunkler –	am dunkelsten	
					der, die, das dunkelste	
			gern	– lieber	– am liebsten	
					der, die, das liebste	
			bald	– eher	– am ehesten	
					der, die, das eheste	

Mehr (nicht verwechseln mit *mehrere*) und *weniger* werden nicht dekliniert, das heißt, daß sich diese Wörter nicht verändern.

II. Was ist richtig?

1. Motorradfahrer verursachen _____ Unfälle als Autofahrer.
   a) mehrere
   b) die meisten
   c) mehr
   d) meistens

2. Kleinwagen verbrauchen natürlich _____ Sprit als Straßenkreuzer.
   a) weniger
   b) wenigstens
   c) wenig
   d) am wenigsten

3. Ein Porsche ist _____ als ein VW-Käfer.
   a) teuer
   b) teuerer
   c) teurer
   d) am teuersten

4. Der Preis für Super ist _____ als für Normalbenzin.
   a) hoch
   b) höcher
   c) mehr hoch
   d) höher

5. Ich nehme den _____ Bus zum Bahnhof.
   a) nähere
   b) nächste
   c) nächsten
   d) nächstes

6. Das Abblendlicht ist _____ als das Fernlicht.
   a) dunkler
   b) mehr dunkel
   c) dunkeler
   d) dünkler

7. Einen Mercedes hätte ich _____ ein Mofa.
   a) so lieb als
   b) am liebsten
   c) lieber wie
   d) lieber als

8. Rufen wir ein Taxi! Das kommt _____ _____ der Bus.
   a) so bald als
   b) so wie
   c) eher als
   d) am ehesten

Bilden Sie Sätze mit ...
1. schneller als
2. (genau) so schnell wie
3. nicht so schnell wie
4. je schneller, desto gefährlicher
5. immer schneller
Benutzen Sie auch: hoch, nah, oft, dunkel.

7

Elemente

Bilden Sie Sätze.

1. Rakete / hoch / Flugzeug.
2. S-Bahn / schnell / Straßenbahn.
3. Je / dicht / Autoverkehr / schlecht / Luft.
4. Parkplätze / Innenstadt / immer / wenig.
5. Ich / frage / kurz / Weg / Bahnhof.
6. Fahrt / Landstraße / nicht / sicher / Fahrt / Autobahn.
7. Benzin / werden / immer / teuer.
8. Nach / Zugfahrt / nicht / müde / nach / Autofahrt.
9. Je / Straßen / glatt / passieren / Unfälle.
10. Trampen / billig / Bahnfahren.
11. Je / alt / Auto / Reparaturen.

Spielen Sie den Reporter.

Auto-Superlative

Das erfolgreichst___ unter den erst___ Autos, die mit Benzin betrieben wurden, hatte drei Räder und ¾ PS. Es wurde von Carl Benz 1885 gebaut und konnte 15 km/h fahren. Einen stärker___ Wagen mit 1,5 PS baute Benz zwei Jahre später und bekam dafür bei der Münchner Industrieausstellung als höchst___ Auszeichnung eine Goldmedaille.

Ein junger amerikanischer Elektriker namens Henry Ford erkannte damals, daß es wichtig___ war, für möglichst viele Menschen preiswert___ und einfach___ Autos zu produzieren als die luxuriösen Einzelstücke für eine Minderheit. Ford entwickelte eine neue und weitaus billig_____ Methode, nämlich die Produktion am Fließband.

Das ält_____ Auto, mit dem man heute noch fahren könnte, stammt aus dem Jahre 1886. Es gehört sicher zu den interessant_____ Oldtimern und steht nun im Werksmuseum der Firma Benz. Gottlieb Daimler baute schließlich ein Auto, das beim erst___ Autorennen auf der Strecke Paris – Rouen im Schnitt 32 km/h fuhr. Der erst___ Mercedes entstand 1901. Diese Automarke zählt heute zu den bekannt_____ und teuer_____ deutschen Autos. Schnell___ als der Schall raste 1979 ein Raketenauto über einen Luftwaffenstützpunkt in Kalifornien. Mit 1190 km/h fuhr es die höch___ Geschwindigkeit, die bis dahin jemals ein Auto erreicht hatte. Dieses Raketenauto wurde mit einer der modern_____ Maschinen (48 000 PS) angetrieben. Die zweitschnellst___ Autos sind die mit Düsenantrieb. Sie werden in den großen Salzebenen der USA, den flach_____ und einsam_____ Gegenden der Welt, erprobt. Aber im dichten Straßenverkehr hilft leider auch so ein Auto nicht weit____, schnell____ geht es dann mit dem Fahrrad.

Der umsatzstärk_____ Automobilkonzern ist General Motors in Detroit. Dieser Konzern zählt zu den größt_____ der Welt und stellt auch viele andere Produkte her – von der Waschmaschine bis zum Flugzeugtriebwerk. Das größ_____ Unternehmen der Welt, das ausschließlich Autos produziert, ist das Volkswagenwerk in Wolfsburg.

Erklären Sie die Bedeutung dieser Verkehrszeichen

Benutzen Sie den Komparativ.

 1. Geschwindigkeitsbegrenzung 100 km/h

 3. zulässiges Gesamtgewicht 5,5 t

 2. Tunnelhöhe 3,5 m

 4. Geschwindigkeitsgebot 50 km/h auf Autobahn

Spaß muß sein

Die Hersteller des britischen „Rolls Royce" und des DDR-Autotyps „Trabant" haben sich zu enger Kooperation entschlossen.
– Ja, wie ist denn das möglich?
– Die Motoren vom Trabant werden in den Rolls Royce eingebaut.
– Ja, paßt denn der in einen Rolls Royce?
– Sicher. Der wird als Motor für die Scheibenwaschanlage benutzt.

7

Kreuzworträtsel

Hinweis: Die Umlaute werden mit nur einem Buchstaben geschrieben! ß = ss

Waagerecht:

1A Auf dem Stadt_____ ist jede Straße eingezeichnet.

1F Die Abkürzung für Personenkraftwagen ist _____.

1J In der Umgangssprache nennt man einen Lastwagen auch _____.

2C Die Abkürzung für die Internationale Automobilausstellung (in Frankfurt): _____.

2J Wir fahren auf einen Rastplatz, um etwas zu _____.

3A Nationalitätskennzeichen holländischer Autos.

3D Ich surfe gern. Auf meinen Dachgepäckträger paßt sogar das _____.

4A Se fahrn ooch nach Bayern, wa? _____, det kenn ick schon.

4D Die Autositze sind mit _____ bezogen.

4K Ein Kombi hat fünf _____.

5A Die Straße ist _____glatt.

5D Auf der Reise habe ich im _____ übernachtet.

5L Einen Volkswagen nennt man _____.

6B Der Wagen rollt rückwärts! Zieh die _____!

6M Er ist _____ guter Autofahrer.

7C Großer deutscher Mineralölkonzern.

7G Mein Sohn ist drei Jahre alt. Er fährt auf einem _____.

7M Ich hätte auf der Straße im Wald fast ein _____ überfahren.

8A Wir fahren _____ und zu an die See oder in die Berge.

8D Die Versicherung haftet für alle _____ am fremden Wagen.

8L Abkürzung für Lastkraftwagen: _____.

9A Die Karosserie besteht aus _____.

9F Manche hören zu laute _____ beim Fahren.

9K Die Rennfahrer _____ mit ihren Autos durch die Kurve.

10G Das Wichtigste am Auto sind Bremse und _____.

11A Ohne _____ kann man keinen Radiosender empfangen.

11L Wenn du überholen willst, dann gib _____!

12A Im Winter fahre ich _____ in den Alpen.

12D Dieses Jahr möchte ich _____ die Schweiz zum Skilaufen.

12H Da steht ein _____. Wollen wir den nicht mitnehmen?

13A Brems lieber! Die Ampel ist schon _____!

13F Auf der Autobahn sollte man im vierten _____ fahren.

13K Leg eine _____ unter die Füße, damit das Auto sauber bleibt!

14A Ein Oldtimer ist ein _____altes Auto.

14D _____ ist gefährlich, allein zu trampen.

14K Die Abkürzung für Pferdestärken ist _____.

15C Jeder, der im Auto sitzt, ist ein _____-_____.

15M Vielleicht war die wichtigste Erfindung der Menschen das _____.

16A Das Überqueren der Brücke ist nur für Fahrzeuge mit maximal einer _____ (1000 kg) Gesamtgewicht erlaubt.

16F Bitte _____ eure Kinder nicht auf die Vordersitze!

16K Vergiß nicht, im Tunnel das _____ einzuschalten!

Senkrecht:

A B C D E F G H I J K L M N O

1A Wir hatten eine _____-_____. Der ADAC hat uns geholfen.

1D Die Straße wird gefährlich glatt, wenn sie _____ wird.

1G Die _____ fürs Gepäck sind in den Autos unterschiedlich groß.

1J Du hast vergessen zu tanken! Der Tank ist schon fast _____!

1K Der Sturm hat einen dicken _____ auf die Straße geworfen.

1M Im Hochsommer wird der _____ auf der Straße weich.

1N Einen Citroen 2 CV nennt man bei uns eine _____.

1O Viele Rennfahrer sind bei Auto_____ tödlich verunglückt.

2E Der obere Teil des Autos ist das _____-_____.

3B Papa, sei so nett und _____ mir doch heute abend deinen Wagen!

3F Er ist bei _____ über die Kreuzung gefahren.

3L Abkürzung für Technischer Überwachungs-Verein.

5C Schwedische Automobilmarke.

5I Wir müssen wegen der Baustelle einen Umweg fahren. Dort ist eine _____.

5M Das Auto muß in der _____ repariert werden.

7O Die Heckscheibe ist nicht die vordere, sondern die _____ Scheibe.

8A Das _____ des Autos ist umweltschädlich.

8B Beim Abbiegen betätigt man den _____.

8D Der Tankwart putzt auch unsere _____.

10N Kleiner Autotyp mit einer einzigen Tür ganz vorn.

11L Die Scheiben sind aus _____.

12E Besonders bei _____ braucht man gutes Reifenprofil.

12G Eine enge Straße in der Stadt ist eine _____.

12H Fahr nicht so schnell, ich habe _____!

12K Die _____ steht auf Rot.

13A Fahr nie, ohne den _____ anzulegen! Es ist immer besser, angeschnallt zu sein.

13F Unterwegs mache ich eine Rast. Ich lege mich ins _____.

14J Meine Isetta ist nicht neu, sondern schon _____.

15C Wir fahren _____ die Türkei.

7

Lückentest

Finden Sie die passenden Adjektive.

1. Die _____ Straße der Welt liegt am Toten Meer 393 m unter dem Meeresspiegel.

2. Die _____ Paßstraße Europas ist die Großglockner-Hochalpenstraße mit 2575 m.

3. Die _____ Straße der Bundesrepublik liegt im Harz und hat durchschnittlich 20% Steigung.

4. Die _____ Autobahn der Welt ist die Berliner AVUS. Mit ihrem Bau wurde bereits 1912 begonnen.

5. Das _____ Autobahnnetz hat die Bundesrepublik. Manche sagen, das Land sei bald zubetoniert.

Kombinieren Sie

Ich fahre leider nicht so gut Auto wie meine Frau. Vielleicht hätte ich in der Fahrschule besser aufpassen sollen.

Ich wollte nämlich...

die Kupplung	aufpumpen
die Handbremse	geben
Gas	ziehen
das Schiebedach	prüfen
den Reifen	öffnen
den Ölstand	montieren
Benzin	einstellen
den Gang	tanken
die Schneeketten	ausbeulen
die Karosserie	treten
den Rückspiegel	einlegen

Meine Frau sagte: „Du mußt..."

die Kupplung treten

_____

_____

_____

_____

_____

_____

_____

_____

_____

Testauswertung

(zu „Der leichte Weg zum Führerschein", Seite 171)

Unter 200 Punkten: Lassen Sie uns wissen, wann Sie am Steuer sitzen. Wir bleiben dann lieber in der sicheren Wohnung. Wollen Sie den Führerschein im Lotto gewinnen?

Unter 600 Punkten: Sie sind sympathisch und hübsch. Lassen Sie aber lieber Gummibäume pflanzen, wenn Sie Auto fahren wollen.

Unter 1500 Punkten: Sie machen alles falsch, Sie haben bestanden. Herzlichen Glückwunsch!

DER LEICHTE WEG ZUM FÜHRERSCHEIN

DER OFFIZIELLE TESTBOGEN FÜR DIE 90er JAHRE!

Vor Ihnen fährt eine Kuh Fahrrad. Dürfen Sie in obiger Situation überholen?
a) Nein, da die Kuh nach links ausscheren könnte.
(19 Punkte)
b) Kühe dürfen gar nicht radfahren, es handelt sich offensichtlich um eine Fangfrage. (0 Punkt)

Sie fahren auf einer Landstraße und beobachten obige Szene. Was tun Sie?
a) Ich werfe ein Warndreieck ins Wasser, um die Schiffahrt zu warnen.
(123 Punkte)
b) Ich benachrichtige die nächste Umweltschutzdienststelle.
(7 Punkte)

Was bedeutet dieses Verkehrsschild?
a) Achtung! Alle 50 m überquert ein Hirsch die Fahrbahn.
(0 Punkte)
D) Achtung! 50 m lange Hirsche überqueren die Fahrbahn.
(77 Punkte)
c) Durchfahrverbot für Hirsche mit einer zulässigen Gesamtlänge von über 50 m. (109 Punkte)

Dieser Fahrer verhält sich falsch. Warum?
a) Auf dem Nummernschild fehlt die TÜV-Plakette.
(12 Punkte)
b) Ich finde nicht, daß sich dieser Fahrer falsch verhält.
(299 Punkte)

Sie haben sich in der Fahrbahn geirrt. Wie verhalten Sie sich?
a) Ich fahre rückwärts in den Tunnel zurück, um nach einer Abzweigung zu suchen.
(87 Punkte)
b) Ich lasse den Wagen im Tunnel stehen, suche eine Telefonzelle und rufe die Auskunft an.
(3 Punkte)

Im Rückspiegel Ihres Wagens sehen Sie obiges Bild. Was tun Sie?
a) Ich notiere mir die Nummer des Fahrzeuges und zeige den Fahrer wegen Erregung öffentlichen Ärgernisses an.
(100 Punkte)
b) Ich drehe den Rückspiegel meines Wagens um 180°.
(1000 Punkte)

7

Rollenspiele

1. Sie sind Fahrlehrer. Erklären Sie, wie man mit dem Auto losfährt. Ein Spielpartner imitiert den Fahrschüler und führt das aus, was Sie sagen.
Benutzen Sie diese Vokabeln:

> der Zündschlüssel – stecken – das Zündschloß – der Motor – anspringen – die Kupplung – treten – der erste Gang – einlegen – den Blinker setzen – der Rückspiegel – die Handbremse – lösen – die Kupplung langsam kommen lassen – Gas geben – anfahren

2. Szene während der Fahrt: Ihr Fahrschüler macht noch einige Fehler beim Fahren. Sagen Sie ihm, was er besser machen muß.

3. Sie sind mit Ihrem Freund auf einer Party. Er hat einiges getrunken und will mit seinem Auto heimfahren.

4. Verkaufsgespräch: Sie wollen Ihr altes Auto verkaufen.

> Baujahr – Kilometerstand – Extras – Reifen – Rost – TÜV – Austauschmotor – Bremsen

5. Ihr Sohn ist gerade achtzehn geworden und will sich ein schweres Motorrad kaufen. Reden Sie mit ihm.

6. Ihre Tochter wurde beim Schwarzfahren in der U-Bahn erwischt. Sie meinen, daß sie die 50 DM Strafe von ihrem Taschengeld selbst bezahlen soll...

7. An der Tankstelle: Spielen Sie ein Gespräch mit dem Tankwart.

Wortschatz

Die fehlenden Buchstaben ergeben (von oben nach unten gelesen) Dinge, die zur Sicherheit im Straßenverkehr beitragen.

_cheibenwischer, -	_toßstange, -n	_erkehrsmittel, -
Re_fen, -	A_hse, -n	L_nkrad
S_heinwerfer, -	Sic_erung, -en	Numme_nschild, -er
Fü_rerschein	Ha_dbremse	Getrie_e
B_nzintank	Kaross_rie	R_d, ¨-er
Rese_vekanister	Höchstg_schwindigkeit	Fer_licht
Gebrauc_twagen, -	Zünd_erze, -n	Abblen_licht
V_rbrauch	Br_mse,-n	Re_erverad
Bl_nker, -	Fahr_, -en	Ben_in
Kraf_stoff, -e	Ba_terie	P_dal, -e
Au_puff	Birn_, -n	A_torennen, -
Gan_, ¨-e	Kupplu_g	Werkzeu_
Schla_ch, ¨-e		
Moto_, -en		*Wie heißen die fehlenden*
Plat_en		*Artikel?*

Das Fließband

Einer beginnt: „Ich baue ein Auto und nehme die Karosserie."
Der nächste: „Ich baue ein Auto und nehme die Karosserie und den Motor."
Der nächste: „Ich baue ein Auto und nehme die Karosserie, den Motor und vier Räder."
usw.
Sinn des Spiels ist es, sich genau an die Reihenfolge der schon genannten Autoteile zu erinnern. Wer ein Teil vergißt, muß ausscheiden.

„Mach die Scheinwerfer an. Es ist ja schlagartig dunkel geworden."

Finden Sie die entsprechenden Verben

Hören Sie die Nomen von der Cassette.

Schreiben Sie

...einen Brief oder eine Tagebuchnotiz. Berichten Sie z. B. von...

1. einer Panne
2. einem Verkehrsunfall
3. einem Autokauf
4. einem Autodiebstahl
5. einem Autorennen

6. einer Reklamation nach einer Reparatur
7. Ihrem Fahrlehrer
8. Ihren Erlebnissen beim Trampen
9. Ihren Erlebnissen mit der Verkehrspolizei

Denksportaufgabe

In der Bundesrepublik (ca. 60 Mill. Einwohner) schafft man sich durchschnittlich alle 8 Jahre ein neues Auto an. Ein Auto wiegt etwa 2000 Kilo. Um wieviel schwerer wäre die Erde im Jahr 2000 bei 4 Mrd. Erdbewohnern, wenn weltweit so viele Autos gekauft würden wie in der Bundesrepublik?

7

Silbenrätsel für Spezialisten

Finden Sie aus den Silben

BANDS – DUNG – KA – KRAFT – PA – PIE – RAD – RE – RIE – ROS – SE – STOFF – VER – WERK – ZEUG – ZEUG – ZÜN

einen Oberbegriff zu:

1. Zange, Schraubenschlüssel, Wagenheber _____
2. Autodach, Kotflügel, Haube _____
3. Felge, Reifen, Schlauch _____
4. Diesel, Normal, Super _____
5. Zündkerze, Lichtmaschine, Kabel _____
6. Binden, Pflaster, Medikamente _____
7. Führerschein, Personalausweis, Kfz-Schein _____

Schreiben Sie

Geben Sie ein Inserat in der Zeitung auf.

1. Sie wollen Ihr Auto verkaufen.
2. Sie suchen eine Mitfahrgelegenheit (Mfg).
3. Sie suchen einen Partner für eine Weltreise.

Spiel

Auto zeichnen

Bilden Sie zwei Gruppen. Wählen Sie in jeder Gruppe einen Zeichner. Rufen Sie Ihrem Zeichner Vokabeln zu. Nur diese Autoteile darf er zeichnen.

Eine Jury entscheidet, wer das sicherste und schönste Auto gezeichnet hat.

Wortbildung

So schreibt man:		So redet man:
hinaus, heraus	=	raus
hinein, herein	=	rein
hinunter, herunter	=	runter
hinauf, herauf	=	rauf
hinüber, herüber	=	rüber

1. Jemand ist ins Wasser gefallen. – Hol ihn *raus* !
2. Es klopft. – Komm _____, die Tür ist auf!
3. Die Fußgängerampel ist rot. – Du sollst nicht _____gehen!
4. Das Wetter ist prima. – Warum willst du nicht _____gehen?
5. Tolle Sicht. Wo ist die Zugspitze? – Schau mal da _____!
6. Mit dem Fahrrad fahre ich natürlich den Berg lieber _____ als _____!
7. Das Auto steht noch draußen. – Fahr's in die Garage _____!
8. Eine Floßfahrt nach München? – Ja, die ganze Isar _____!
9. Im Zimmer ist eine Überraschung. – Geh noch nicht _____!
10. Da oben hängt noch ein Apfel. – Willst du _____klettern?
11. Du hast in der Kneipe nichts zu suchen. – Verschwinde! Mach, daß du _____kommst!
12. Fährt der Lift hoch? – Nein, der fährt _____.
13. Bleibt er draußen? – Ja, er will nicht _____.

Die Reiseplanung

Sie planen mit der Familie eine Urlaubsreise ins Ausland. Woran sollten Sie denken, und warum?

Hier einige Stichwörter:

Schulferien, Hotelbuchung, Reisepaß, Reiseführer, Wörterbuch, Landkarte, Führerschein, Badesachen, Reiseschecks, Impfungen, Urlaubsapotheke, Haustiere, Reisegepäckversicherung, Post und Zeitungen, Blumen, Urlaubsanschrift, Fotoausrüstung, Spiele und Bücher

Kettensatz-Spiel

Ich verkaufe eine Lokomotive

Jeder Satz muß an den vorherigen anknüpfen.
Der erste Spieler beginnt z. B. so: „Ich verkaufe eine Lokomotive. Sie steht im Hauptbahnhof."
Der nächste: „Vor dem Hauptbahnhof parken einige Taxis."
Der nächste: „Ich nehme ein Taxi und fahre in die Schillerstraße."
Der nächste: „In der Schillerstraße gibt es ein gutes Restaurant."
usw.

7

Spiel

Kein ... ohne ...

„Kein Licht ohne Schatten", sagt ein Mitspieler. Der nächste: „Kein Auto ohne Lenkrad." Und weiter: „Keine Antwort ohne Frage." Wem nichts mehr einfällt, der muß ausscheiden.

Können Sie gut beobachten?

Bringen Sie zur nächsten Stunde einige Fotos (z. B. aus Illustrierten) mit in den Unterricht. Zeigen Sie sie einige Sekunden lang der Gruppe. Lassen Sie dann von den Mitspielern beschreiben, was alles auf dem Foto zu sehen war.

Joachim Ringelnatz

Die Ameisen

In Hamburg lebten zwei Ameisen,
Die wollten nach Australien reisen.
Bei Altona auf der Chaussee,
Da taten ihnen die Beine weh,
Und da verzichteten sie weise
Dann auf den letzten Teil der Reise.

Eine Fahrt durch Deutschland

Spielregeln zum Spiel auf der letzten Umschlagseite

Sie brauchen einen Würfel und für jeden Mitspieler eine kleine Figur (Knopf, Geldstück oder etwas Ähnliches). Wer die höchste Zahl würfelt, darf anfangen.

Die Rundreise beginnt in Hamburg. Es wird reihum gewürfelt. Die gewürfelte Zahl entspricht der Nummer der Aufgabe, die der Spieler lösen muß. Nur wenn er die richtige Lösung weiß, darf er (falls nichts anderes gesagt wird) zur nächsten Stadt vorrücken. Bei einem Fehler muß er bis zur nächsten Spielrunde stehenbleiben. Nun ist der nächste Spieler an der Reihe. Gewinner des Spiels ist, wer zuerst wieder in Hamburg ankommt.

Hamburg

1. Sie machen eine interessante Rundfahrt _____ den Hamburger Hafen.

2. Besuchen Sie unbedingt _____ Sonntag-morgen den Hamburger Fischmarkt!

3. Auf der Reeperbahn sind die Lokale bis _____ frühen Morgen geöffnet.

4. Im Hafen liegen Schiffe aus _____ Welt.

5. _____ Sie in den Tierpark Hagenbeck hineingehen, müssen Sie Eintritt be-zahlen.

6. Sie wollen zum Hamburger Michel fahren und halten ein Taxi _____.

Kiel

1. Kiel ist die Landeshauptstadt _____ Schleswig-Holstein.

2. _____ Jahr im Juni findet die „Kieler Woche" statt.

3. Kiel liegt an _____ Ostsee.

4. Der Nord-Ostsee-Kanal ist die meistbe-fahren_____ künstliche Wasserstraße der Welt.

5. Das Hotel, _____ Adresse man Ihnen gab, ist recht preiswert.

6. Sie bleiben ein paar Tage, _____ die Seeluft tut Ihnen gut.

Lübeck

1. Das bekannteste Bauwerk Lübecks, das Holstentor, sehen Sie auf jedem Fünfzig-mark_____.

2. Das Lübecker Marzipan _____ Ihnen besonders gut.

3. Lübeck ist der Geburtsort des bekannten deutschen Erzählers Thomas _____.

4. Die Stadt liegt nicht _____ entfernt von der Grenze zur DDR.

5. Sie besichtigen in der Altstadt zahlreich_ bedeutende Baudenkmäler.

6. Sie bedanken sich bei einem Passanten, _____ Ihnen den Weg zur Marienkirche gezeigt hat.

Hannover

1. Auf der weltbekannten Hannover- _____ stellen viele Firmen ihre Pro- dukte aus.

2. Hannover ist die Landeshauptstadt von _____.

3. In Hannover spricht man keinen Dialekt, _____ hochdeutsch.

4. Sie entschließen sich _____ Besuch der alten Kaiserstadt Goslar am Rande des Harzes.

5. Der Harz ist ein _____ südöstlich von Hannover.

6. Der _____ Hannover-Langen- hagen ist wegen Nebels geschlossen. Sie können momentan leider nicht nach Berlin fliegen. (Eine Runde warten!)

der Stadt zählen Frankreich, Großbritan- nien und _____ USA.

4. Berlin _____ die Hauptstadt des Deutschen Reiches.

5. Der Kurfürstendamm ist die bekannt_____ Straße Westberlins.

6. Sie machen einen Tagesausflug _____ Potsdam.

Berlin (Ost)

1. Es lohnt sich bestimmt, das Pergamon- Museum _____ besuchen.

2. Der Alexanderplatz liegt mitten im _____- _____ der Stadt.

3. An der Grenze müssen Sie leider eine Stunde _____ die Abfertigung warten.

Berlin (West)

1. Die DDR-Regierung hat am 13. August 1961 eine Mauer durch die Stadt bauen _____.

2. Die Museen der Stadt gehören _____ den schönsten Deutschlands.

3. Zu den drei Westalliierten Schutzmächten

4. Sie _____ an der Grenze DM gegen DDR-Mark zum Kurs 1:1.

5. Sie brauchen ein Visum, _____ nach Ostberlin fahren zu können.

6. Unter den Linden befinden _____ die Botschaften aus vielen Ländern.

Dresden

1. Auf den Autobahnen _____ DDR beträgt die Höchstgeschwindigkeit 100 km/h.

2. Der Besuch des Dresdner Zwingers zählt _____ den Höhepunkten Ihrer DDR-Reise.

3. Man sagt Ihnen, die Preise für Grundnahrungsmittel und Bücher, die Mieten und Fahrpreise seien hier niedriger _____ in der Bundesrepublik.

4. In Dresden leben die Sachsen. Hier spricht man also _____ Dialekt.

5. Sie wissen nicht, _____ sich ein Besuch im Leipziger Industriegebiet überhaupt lohnt.

(Bei richtiger Lösung fahren Sie direkt weiter in die schöne Stadt Weimar!)

6. Die „Nationale Volksarmee" (NVA) in der DDR ist das Gegenstück _____ „Bundeswehr" in der Bundesrepublik.

Leipzig

1. Sie sind sehr _____ Besuch der Leipziger Messe interessiert.

2. In Leipzig lebte und starb der berühmte _____ Johann Sebastian Bach.

3. Die bekannteste Tageszeitung der DDR _____ „Neues Deutschland".

4. Sie haben eine Ansichtskarte vom Alten Rathaus geschrieben und werfen sie in einen _____.

7

5. Ihr Zug hat _____. Er kommt leider nicht planmäßig in Leipzig an. Sie können also noch nicht nach Weimar weiterfahren!

6. Im Intershop haben Sie Zigaretten, Kaffee und Pralinen _____.

Weimar

1. In Weimar lebten und starben Johann Wolfgang von Goethe und dessen Freund Friedrich von _____.

2. Nach einer Vorstellung im Deutschen Nationaltheater sind Sie _____ müde, daß Sie frühzeitig schlafen gehen.

3. Sie bemerken, daß etliche Menschen vor den Geschäften und Restaurants _____ stehen.

4. Können Sie mir sagen, _____ ich zum Schloß Belvedere komme?

5. Sie besuchen die Nationale Mahn- und Gedenkstätte Buchenwald. Hier wurden im _____ Reich viele Menschen ermordet.

6. Die Häuser von Goethe, Schiller, Cranach und Liszt sind sehr sorgfältig renoviert _____.

Eisenach

1. Auf der Wartburg bei Eisenach hat Martin Luther das Neue Testament aus dem Griechischen ins Deutsche _____.

2. Sie _____ auf einem Esel den Berg hinauf zur Wartburg.

3. In Eisenach _____ man ein Auto her, das „Wartburg" heißt.

4. Nach einer _____ durch den schönen Thüringer Wald tun Ihnen die Füße weh. Ruhen Sie sich aus! Reisen Sie noch nicht weiter nach Kassel!

5. Seit Luthers Reformation ist Norddeutschland überwiegend evangelisch. Die meisten Süddeutschen blieben aber _____.

6. Sie fahren _____ dem Zug weiter nach Kassel.

Kassel

1. _____ vier Jahre findet in Kassel die „Documenta" statt. Das ist eine Ausstellung internationaler moderner Kunst.

2. Wenn Sie mehr Zeit _____, würden Sie sich gern das Schloß Wilhelmshöhe anschauen.

3. Kassel ist eine Stadt, _____ _____ viele Maschinen und Fahrzeuge hergestellt werden (Rheinstahl, Hanomag-Henschel).
4. Im Museum Fridericianum _____ Sie nicht mit Blitzlicht fotografieren!
5. Sie haben Glück! Jemand nimmt Sie beim Trampen (bei richtiger Lösung) direkt bis Nürnberg _____.
6. Sie wollen _____ der Autobahn weiter nach Würzburg fahren.

Würzburg

1. Sie haben Ihren Paß im Hotel in Kassel vergessen und _____ jetzt leider ein Feld zurück!
2. _____ der starken Zerstörung Würzburgs im Krieg sind die meisten alten Bauten erhalten geblieben.

3. Von der Festung Marienburg haben Sie einen herrlichen _____ über die ganze Stadt.
4. Sie wollen entweder das Mozartfest (in der zweiten Julihälfte) _____ die Würzburger Bachtage (Ende November) besuchen.
5. Die Alte Universität besteht schon seit dem sechzehnten _____.
6. _____ Sie diese Aufgabe lösen, dürfen Sie direkt weiter nach München fahren.

Nürnberg

1. Nürnberg ist die zweit_____ Stadt Bayerns.
2. _____ Sie schon die Nürnberger Lebkuchen probiert?

3. Sie fahren _____ des Christkindles-marktes nach Nürnberg.

4. Nach dem _____ Weltkrieg fanden in Nürnberg die Kriegsverbrecherprozesse der Alliierten statt.

5. In Nürnberg wurde Albrecht Dürer ge-boren, der ein bekannter deutscher _____ war.

6. Die erste deutsche Eisenbahnstrecke ver-lief _____ den Städten Nürnberg und Fürth.

München

1. In München fanden 1972 die Olympischen Spiele _____.

2. Nicht weit von München sind die Alpen, das _____(groß) Gebirge Europas.

3. Sie wollen ins Hofbräuhaus, um eine baye-rische Maß Bier _____ trinken.

4. _____dem Marienplatz stehen viele Tou-risten und bestaunen das Glockenspiel im Rathausturm.

5. Das _____Museum ist das bekann-teste technisch-naturwissenschaftliche Museum der Welt.

6. Besuchen Sie München zum Oktoberfest _____ September!

Prien

1. Sie entscheiden _____ für einen Deutschkurs in Prien am Chiemsee.

2. Bei einem Tagesausflug nach Salzburg ler-nen Sie eine der reizvollsten österreichi-schen Städte _____.

3. Sie besuchen Herrenchiemsee. Dieses Schloß _____ der bayerische König Ludwig II. erbauen.

4. Sie rudern gern. Noch _____ segeln Sie. Aber am liebsten surfen Sie auf dem Chiemsee.

5. Prien _____ an der Bahnstrecke zwischen München und Salzburg.

6. Lassen Sie bitte den Zimmerschlüssel bei der Abreise im Schloß _____!

Garmisch-Partenkirchen

1. Sie finden Garmisch-Partenkirchen sehr reizvoll. Ganz besonders gefällt _____ die alte Pfarrkirche.

2. Sie fahren _____ der Zahnradbahn auf die Zugspitze.

3. Die Zugspitze ist mit 2963 m der _____ (hoch) Berg Deutschlands.

4. Sie kaufen sich eine Lederhose und finden, daß sie _____ sehr gut steht.

5. Im Olympia-Eisstadion _____ Sie das ganze Jahr über Schlittschuh laufen.

6. Nicht weit von Garmisch-Partenkirchen liegt Oberammergau, _____ Sie das Passionstheater besuchen können.

Freiburg

1. Baden-Württemberg heißt das Bundesland, _____ _____ die schöne Stadt Freiburg liegt.

2. Freiburg ist nicht weit entfernt von der _____ und schweizerischen Grenze.

3. _____ Freiburg besucht, der besucht auch sicher den Schwarzwald.

4. In der Freiburger Gegend _____ ein guter Wein angebaut.

5. Die Freiburger Universität gilt _____ eine der schönsten der Bundesrepublik.

6. Freiburg liegt im Breisgau und hat ein sehr _____ (mild) Klima.

Stuttgart

1. _____ länger ich in Stuttgart bin, desto besser gefällt mir die Stadt.

2. In Stuttgart _____ Sie unbedingt mal die bekannten „Spätzle" probieren!

3. Wußten Sie, _____ der Philosoph Hegel aus Stuttgart stammt?

4. Vom Fernsehturm aus haben Sie einen herrlich___ Blick über die ganze Stadt.

7

5. Stuttgart ist bekannt _____ seine Elektro- und Fahrzeugbauindustrie (Bosch, AEG, SEL, IBM, Porsche, Daimler-Benz).

6. Sie machen einen Tagesausflug nach Tübingen; das ist ein mittelalterlich__ Städtchen südlich von Stuttgart.

Rothenburg

1. Von Stuttgart aus fahren Sie _____ Schwäbisch Hall weiter nach Rothenburg ob der Tauber.

2. Sie machen einen Spaziergang auf der alten Stadtmauer rund _____ die Stadt.

3. Rothenburg ist eine _____ reizvollsten mittelalterlichen Städte Deutschlands.

4. Am Pfingstmontag _____ Sie am Historischen Festzug teil.

5. Sie freuen sich schon _____ die Reichsstadt-Festtage, die Mitte September in Rothenburg stattfinden.

6. Sie _____ großes Interesse an den mittelalterlichen Fachwerkhäusern der Stadt.

Heidelberg

1. Heidelberg ist eine schöne alte Stadt_____ Neckar.

2. Hier finden Sie die _____ (alt) deutsche Universität.

3. Ein bekanntes Lied heißt „Ich hab' mein Herz in Heidelberg _____".

4. Sie erinnern sich gern _____ die zahlreichen historischen Studentenlokale.

5. Denken Sie _____, das Schloß zu besichtigen! Im Keller sehen Sie das legendäre Heidelberger Weinfaß.

6. _____ Abend fahren Sie in die Nachbarstadt Mannheim zur Internationalen Filmwoche.

Frankfurt

1. Frankfurt liegt _____ Main.

2. Die Frankfurter Rundschau und die Frankfurter Allgemeine sind wichtige überregionale _____.

3. Viele Hochhäuser gehören den großen _____, wie z. B. der Deutschen Bank, der Dresdner Bank und der Commerzbank.

4. _____Frankfurt stammt der Dichter Johann Wolfgang von Goethe.

5. Frankfurt hat den _____ (wichtig) deutschen Flughafen.

6. _____ wollen Sie beim Stadtbummel den Römer besichtigen, danach die Paulskirche und zuletzt den Dom.

Bonn

1. Das Bonner Parlament besteht _____ Bundestag und Bundesrat.

2. Die Verfassung der Bundesrepublik _____ man „das Grundgesetz".

3. Sie wissen, daß Bonn die Hauptstadt_____ Bundesrepublik ist.

4. In Bonn finden Sie das Geburtshaus Ludwig van Beethovens. Der berühmte Komponist wurde in dieser Stadt _____.

5. CDU/CSU, SPD, FDP und die Grünen sind die _____ im Bundestag.

6. Sie interessieren sich _____ eine Rheinfahrt zur Loreley.

Köln

1. Am Rheinufer: Die Schiffe fahren langsamer den Rhein hinauf als _____.

2. Das bekannteste Bauwerk Kölns ist der _____.

3. _____ Jahr findet in Köln der Karneval statt.

4. _____ Ihres Aufenthaltes in Köln besuchen Sie das Römisch-Germanische Museum.

5. _____ Köln besucht, der besucht auch die Altstadt und probiert ein Glas Kölsch.

6. Aus Köln stammte der Schriftsteller und Nobelpreisträger Heinrich _____.

Düsseldorf

1. Düsseldorf ist die Landeshauptstadt von Nordrhein-_____.

2. Der Düsseldorfer Dichter Heinrich Heine schrieb einmal: „Denk ich an Deutschland in der Nacht, dann bin ich um den Schlaf _____."

3. An der „längsten Theke Europas" (Düsseldorfer Altstadt) haben Sie ____ viel Altbier getrunken und müssen sich nun ausschlafen. Sie dürfen noch nicht weiter nach Dortmund fahren!

4. Die bekannte Königsallee wird von den Düsseldorfern einfach „die Kö" _____.

5. In der Nachbarstadt Wuppertal _____ Sie mit der Schwebebahn gefahren, die einzigartig in der ganzen Welt ist.

6. Sie planen, von Düsseldorf mit dem Schiff bis Bonn zurück_____. Zwei Felder zurück!

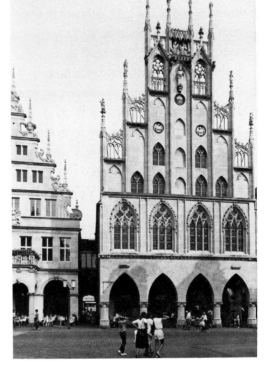

Dortmund

1. Dortmund ist eine Industriestadt im Ruhr-_____.

2. In den _____ der Stadt wird ein gutes Bier gebraut.

3. Sehenswert _____ bestimmt die Westfalenhalle und der Westfalenpark.

4. Heute wird weniger Kohle aus den Bergwerken gefördert _____ früher.

5. Die Stahlproduktion ist in den letzten Jahren _____ (sinken).

6. Im Ruhrgebiet leben mehr _____ vier Millionen Menschen.

Münster

1. Im Friedenssaal des Rathauses _____ im Jahr 1648 der Dreißigjährige Krieg beendet.

2. Die Altstadt Münsters ist nach dem Zweiten Weltkrieg wieder aufgebaut _____.

3. Ihnen fallen die vielen _____ auf, die mit dem Rad zur Wilhelms-Universität fahren.

4. Sie sind _____ der Schönheit des Doms und der Lamberti-Kirche beeindruckt.

5. Sie wollen einen Tagesausflug in den Teutoburger _____ zum Hermannsdenkmal machen. Sie fahren deshalb noch nicht weiter nach Bremen!

6. Sie müssen nun leider nach Dortmund zurück. Sie _____ sicher lieber nach Bremen gefahren...

Bremen

1. Bremen ist das _____ (klein) Bundesland der Bundesrepublik.

2. Auf den Bremer Werften _____ große Schiffe gebaut und repariert.

3. Die Nachbarstadt Bremerhaven ist nicht so groß _____ Bremen.

4. _____ Ihrem Rundgang durch die Altstadt lernen Sie das schöne Schnoorviertel und die Böttcherstraße kennen.

5. Vor _____ Rathaus sehen Sie die Roland-Säule.

6. Bremen hat den zweitgrößten deutschen Seehafen und ist ein bedeutend___ Welthandelsplatz.

Adressen

Allgemeiner Deutscher Automobilclub (ADAC)
Am Westpark 8
8000 München 70

Automobilclub von Deutschland (AvD)
Lyoner Str. 16
6000 Frankfurt/M. 71

Deutsche Verkehrswacht
Platanenweg 39
5300 Bonn 3

Lösungen zur Fahrt durch Deutschland

	1.	2.	3.	4.	5.	6.
Hamburg	durch	am	zum	aller	Wenn, Ehe	an
Kiel	von	Jedes	der	ste	dessen	denn
Lübeck	schein	schmeckt	Mann	weit	e	der
Hannover	Messe	Nieder-sachsen	sondern	zum	Gebirge	Flughafen
Westberlin	lassen	zu	die	war	este	nach
Ostberlin	zu	Zentrum	auf	wechseln, tauschen	um	sich
Dresden	der	zu	als	sächsischen	ob	zur
Leipzig	am	Komponist	heißt	Briefkasten	Verspätung	gekauft
Weimar	Schiller	so	Schlange	wie	Dritten	worden
Eisenach	übersetzt	reiten	stellt	Wanderung	katholisch	mit
Kassel	Alle	hätten	in der	dürfen	mit	auf
Würzburg	müssen	Trotz	(Aus)blick	oder	Jahrhundert	Wenn, Falls
Nürnberg	größte	Haben	wegen	Zweiten	Maler	zwischen
München	statt	größte	zu	Auf	Deutsche	im
Prien	sich	kennen	ließ	lieber	liegt	stecken
Garmisch	Ihnen	mit	höchste	Ihnen	können	wo
Freiburg	in dem	französischen	Wer	wird	als	mildes
Stuttgart	Je	müssen, sollten	daß	en	für	es
Rothenburg	über	um	der	nehmen	auf	haben
Heidelberg	am	älteste	verloren	an	daran	Am, Gegen
Frankfurt	am	Zeitungen	Banken	Aus	wichtigsten	(Zu)erst
Bonn	aus	nennt	der	geboren	Parteien	für
Köln	hinunter	Dom	Jedes	Während	Wer	Böll
Düsseldorf	Westfalen	gebracht	zu	genannt	sind	zufahren
Dortmund	gebiet	Brauereien	sind	als	gesunken	als
Münster	wurde	worden	Studenten	von	Wald	wären
Bremen	kleinste	werden	wie	Bei	dem	er

7

Neue Vokabeln

Nomen	Plural	Verben	Adjektive

Nomen   Plural   Verben   Adjektive

der _____ – ____
der _____ – ____
der _____ – ____
der _____ – ____
der _____ – ____
der _____ – ____
der _____ – ____
der _____ – ____
der _____ – ____
der _____ – ____

die _____ – ____
die _____ – ____
die _____ – ____
die _____ – ____
die _____ – ____
die _____ – ____
die _____ – ____
die _____ – ____
die _____ – ____
die _____ – ____
die _____ – ____

Sonstiges

das _____ – ____
das _____ – ____
das _____ – ____
das _____ – ____
das _____ – ____
das _____ – ____
das _____ – ____
das _____ – ____
das _____ – ____
das _____ – ____
das _____ – ____

Redewendungen

Quellenverzeichnis

Texte

Franz Alt, Frieden ist möglich, Piper Verlag, München (S. 70/71); Wolfgang Borchert, Lesebuchgeschichten, aus: Gesamtwerk, Rowohlt Verlag, Reinbek bei Hamburg 1960 (S. 73/74); Bertolt Brecht, aus: Gesammelte Werke, Suhrkamp Verlag, Frankfurt am Main 1967: Die Bücherverbrennung (S. 41), Die Lösung (S. 48), Wenn die Haifische Menschen wären (S. 66/67), Die Seeräuber-Jenny (S. 78/79), Viele Arten zu töten (S. 82), Ich sitze am Straßenhang (S. 160); Paul Celan, Todesfuge, aus: Mohn und Gedächtnis, Deutsche Verlags-Anstalt, Stuttgart 1952 (S. 75); Irenäus Eibl-Eibesfeldt, Die Angst vor den Menschen, aus: SZ vom 4.7.82 (mit freundlicher Genehmigung des Autors, S. 139-142); Heinz Erhardt, O wär ich ..., Fackelträger Verlag, Hannover (S. 18); Brigitte Gmelin, Leserbrief, Fassung vom 5.7.84 (mit freundlicher Genehmigung der Autorin, S. 143); Erich Kästner, Sachliche Romanze, aus: Gesammelte Schriften für Erwachsene, Atrium Verlag, Zürich 1969 (S. 13); Reiner Kunze, Sechsjähriger, aus: Die wunderbaren Jahre, S. Fischer Verlag, Frankfurt am Main 1976 (S. 80); e. o. plauen, Im Krieg sind alle Mittel erlaubt, aus: Vater und Sohn, Südverlag Konstanz 1982 (mit Genehmigung der Gesellschaft für Verlagswerte, Kreuzlingen/Schweiz, S. 85); Joachim Ringelnatz, Ich habe dich so lieb, aus: Auf einmal steht es neben dir, Henssel Verlag, Berlin 1964 (S. 15); Eugen Roth, Optische Täuschung, aus: Das Eugen Roth Buch, München 1968 (mit freundlicher Genehmigung der Eugen Roth Erben, S. 15); Kurt Tucholsky, Frauen von Freunden, aus: Gesammelte Werke, Bd. II, Rowohlt Verlag, Reinbek bei Hamburg 1960 (S. 28), Und wenn alles vorüber ist, a. a. O., Bd. III (S. 78); Karl Valentin, Vater und Sohn über den Krieg, Piper Verlag, München (S. 70); Otto Waalkes, Das kleine Buch Otto, S. 97 und 100, Hoffmann und Campe Verlag, Hamburg 1983 (S. 25, 59); Wer macht die Meinungen?, aus: Jugendscala März 84 (S. 49); Ende des Wachstums, aus: Spiegel vom 18.10.82 (S. 116/117); Sterben die Deutschen aus?, aus: SZ vom 4.2.84 (S. 8/9).

Fotos

BMW Werkfoto, München (S. 97 Mitte); foto-present, Essen (S. 50, 80, 97 unten, 144, 145, 146, 149, 155); Johannes Schumann, München, (S. 32, 45, 46, 160, 178 oben, rechts und unten, 182 oben rechts); Süddeutscher Verlag, Bilderdienst, München (S. 30, 41, 46, 48, 67, 97 oben, 98, 107, 114, 119, 166, 182 oben rechts); VW-Fotozentrale, Wolfsburg (S. 161).

Eine Fahrt durch Deutschland: Presse- und Informationsämter der Städte Hamburg, Kiel, Lübeck, Hannover, Kassel, Würzburg, Nürnberg, Prien am Chiemsee, Garmisch-Partenkirchen, Freiburg, Stuttgart, Rothenburg o. d. T., Heidelberg, Bonn, Köln, Düsseldorf, Dortmund, Münster, Bremen; Ständige Vertretung der DDR, Bonn (S. 179); Ost + Europa-Photo, Köln (S. 180 links unten); Süddeutscher Verlag, Bildstelle, München (S. 180 rechts oben).

Karten

Globus-Kartendienst, Hamburg (S. 7, 10, 35, 64, 81, 116, 121, 124, 139, 162).

Karikaturen

Cartoon und Karikatur, München (Wolf Hiddens, Weinheim, S. 21; Peter Kaste, Erlangen, S. 38; Gerhard Brinkmann, Bernau/Chiemsee, S. 127); Pit Grove, Cosmopress Genf (S. 15, 26); Walter Hanel, Bensberg-Frankenf. (S. 69); E. Hürlimann, München (S. 56, 58); Loriots heile Welt, Diogenes Verlag, Zürich (S. 174); Kurt Reimann, Bonn (S. 129); Michael Ryba, St. Peter (S. 171); Wolfgang Willnat, Bötzingen o. K. (S. 173); Jupp Wolter, Lohmar (S. 71).

Ein Lern- und Nachschlagewerk für
Lehrende und Lernende

Hilke Dreyer – Richard Schmitt

Lehr- und Übungsbuch
der deutschen
Grammatik

304 Seiten – Best.-Nr. 608

Schlüssel: 60 Seiten – Best.-Nr. 629
2 Audiocassetten – Best.-Nr. 628

Dieses Übungsbuch ist ein umfassendes Lehrwerk für Anfänger mit Vorkenntnissen, die gründliche Sprachkenntnisse auf solider Basis erwerben wollen, für Fortgeschrittene, deren Kenntnisse einer Systematisierung bedürfen, wie für alle, die zu einem bestimmten Problem eine kompetente Auskunft benötigen.

Sämtliche Kapitel der deutschen Grammatik sind in Form von Übersichten und Regeln erfaßt. Die Regeln sind in einer bewußt einfachen Sprache gehalten; die Übungen sind durchweg abwechslungsreich gestaltet und dem jeweiligen Übungsgegenstand angepaßt.

Absicht der Verfasser war, die deutsche Grammatik in zusammenhängende Lehr- und Lerneinheiten zu gliedern, die sich aufeinander beziehen und somit eine gewisse Progression verfolgen. Die einzelnen Probleme sind jeweils vollständig dargestellt.

Im Anhang finden sich ein Sach- und Wortindex und das Verzeichnis sämtlicher Grammatiktermini mit Beispiel.

MAX-HUEBER-STRASSE 8
D-8045 ISMANING/MÜNCHEN